W9-ACW-470

VARIÉTÉS HILBERTIENNES

ASPECTS GÉOMÉTRIQUES

Notes des cours donnés par les professeurs Nicolaas H. Kuiper et Dan Burghelea à la huitième session du Séminaire de mathématiques supérieures de l'Université de Montréal, tenue l'été 1969. Le Séminaire est placé sous les auspices de la Société Mathématique du Canada.

UNIVERSITÉ DE MONTRÉAL — DÉPARTEMENT DE MATHÉMATIQUES

VARIÉTÉS HILBERTIENNES
ASPECTS GÉOMÉTRIQUES

par
Nicolaas H. KUIPER
Université d'Amsterdam

suivi de deux textes de M. Dan BURGHELEA

1971
LES PRESSES DE L'UNIVERSITÉ DE MONTRÉAL
C.P. 6128, MONTRÉAL 101, CANADA

ISBN 0 8405 0170 6
DÉPÔT LÉGAL, 1er TRIMESTRE 1971 — BIBLIOTHÈQUE NATIONALE DU QUÉBEC
Tous droits de reproduction, d'adaptation ou de traduction réservés
© Les Presses de l'Université de Montréal, 1971

1570414

TABLE DES MATIÈRES

VARIETES HILBERTIENNES
Aspects géométriques

par
Nicolaas H. Kuiper

INTRODUCTION

Dans cette série d'exposés je voudrais présenter quelques problèmes et résultats, de nature plutôt géométrique, qui ont joué un rôle dans le développement de la topologie différentielle des variétés hilbertiennes et banachiques récemment.

Au cours du premier exposé je ferai quelques remarques générales et je définirai les variétés banachiques munies d'une Λ-structure (par exemple une C^p-structure) et j'énoncerai les principaux problèmes de classification. Je mentionnerai les solutions connues à ces problèmes dans le cas des variétés de dimension finie et je comparerai ces résultats à ceux obtenus dans le cas des variétés de dimension infinie.

Les exposés suivants seront centrés sur des problèmes spéciaux tels que: le théorème de Bessaga ($H \simeq H - \{o\}$), le plongement fermé des variétés banachiques dans leurs modèles, la contraction de $GL(H)$, le groupe linéaire d'un espace d'Hilbert, la stabilité de Palais, le théorème des voisinages tubulaires ambiants, et la classification complète des variétés hilbertiennes au moyen de leur type d'homotopie (suivant la méthode de B. Mazur).

La majeure partie du contenu de ces exposés est ou sera publiée dans un volume qui paraîtra en l'honneur de M.G. de Rham (Springer), dans Burghelea-Kuiper [8], dans Kuiper-Terpstra [16] et dans Kuiper [24].

Les notes des conférences ont été rédigées par M. S.F. Henri Wong avec l'assistance de M. C.K. Shen. L'auteur tient à les remercier pour leur travail considérable.

1. *Définitions et Problèmes.*

§ 1.1 *Définitions.*

Soient B un espace de Banach et X un espace topologique $U \subset X$ un ouvert.

Un homéomorphisme $\kappa : U \to \kappa(U) \subset B$ est une B-*carte*.

Un ensemble de cartes $\kappa_i : U_i \to \kappa_i(U_i)$ tel que $\bigcup_j U_j = X$ est appelé un *atlas*.

Définition 1.1. Si X est métrisable et admet un atlas, on dit que X est une B-*variété topologique*.

Définition 1.2. Soit Λ un ensemble d'homéomorphismes définis chacun sur un ouvert de B.

$$\Lambda \subset \left\{ f: V \to f(V) \;\middle|\; \begin{array}{l} V \subset B \text{ et } f(V) \subset B \text{ ouverts de } B \\ \text{et } f \text{ un homéomorphisme} \end{array} \right\}$$

Λ est un *pseudo-groupe d'homéomorphismes* si

(i) $f \in \Lambda,\ W \subset V \Rightarrow f \mid W \in \Lambda$

(ii) $f \in \Lambda \Rightarrow f^{-1} \in \Lambda$

(iii) $f, g \in \Lambda \Rightarrow g \circ f \in \Lambda$ si $g \circ f$ est défini.

(iv) Si $f: \bigcup_j V_j \to f(\bigcup_j V_j)$ est un homéomorphisme d'ouverts de B et $f \mid V_j \in \Lambda$ pour chaque j, on a alors que $f \in \Lambda$.

Dans tous les cas que nous considérerons Λ contiendra toutes les translations d'ouverts de B.

<u>Définition 1.3.</u> Soient U_1 et U_2 deux ouverts de X et $U_1 \cap U_2 \neq \emptyset$; $\kappa_i : U_i \to \kappa_i(U_i)$ $i = 1, 2$ deux cartes. Soit V une composante connexe de $U_1 \cap U_2$ alors κ_1 et κ_2 sont Λ-*compatibles* si $\kappa_2 \kappa_1^{-1} : \kappa_1(V) \to \kappa_2(V)$ appartient à Λ pour toute composante connexe V de $U_1 \cap U_2$.

Un atlas est un Λ-*atlas* si deux cartes quelconques sont Λ-compatibles (si $U_1 \cap U_2 \neq \emptyset$).

Deux atlas sont *équivalents* si leur union est aussi un Λ-atlas. (Notons que cette relation est une relation d'équivalence).

La classe d'équivalence de tous les Λ-atlas équivalents à un atlas donné sur une variété topologique donnée est une Λ-*variété*.

L'atlas composé de toutes les cartes Λ compatibles avec un Λ-atlas donné est appelé un Λ-*atlas complet*.

On peut aussi définir une Λ-variété (ou une Λ-B-variété) comme une variété topologique munie d'un Λ-atlas complet. Cette définition est équivalente à la précédente.

<u>Définition 1.4.</u> X, Y deux Λ-variétés sont *équivalentes* s'il existe un homéomorphisme $\phi : X \to Y$ qui transforme le Λ-atlas complet de Y en celui de X par composition: $(\lambda_i : V_i \to B) \to (\lambda_i \cdot \phi = \kappa_i : U_i = \phi^{-1}(V_i) \to B)$.

B étant fixé, on notera $\underline{\Lambda}$ l'ensemble des classes d'équivalences des Λ-B-variétés.

Premier problème général

Soient Λ et Λ' des pseudo-groupes d'homéomorphismes tels que $\Lambda \subset \Lambda'$.

Deuxième problème général

Etant donné une structure de Λ-variété sur un espace topologique X, elle possède un Λ-atlas; cet atlas est aussi un Λ'-atlas, et détermine un unique Λ'-atlas complet. Ce Λ'-atlas complet induit une unique structure de Λ'-variété sur X.

On a par conséquent une application naturelle d'ensembles $\tau\colon \underline{\Lambda} \to \underline{\Lambda}'$ où $\tau = \tau(\Lambda,\Lambda',B)$.

τ est-elle surjective? injective? bijective?

§ 1.2 *Résumé de quelques problèmes et des résultats connus concernant des variétés réelles compactes (dimension finie).*

$B = \mathbb{R}^n$.

$\underline{\Lambda}$	Λ : pseudo-groupe
$\underline{C}^o$	Tous les homéomorphismes.
$\underline{C}^{omb}$	Les homéomorphismes linéaires par morceaux.
$\underline{C}^r$	Les homéomorphismes r fois continûment différentiables.
$\underline{C}^\infty$	Les homéomorphismes p fois différentiables pour tout p.
$\underline{C}^\omega$	Les homéomorphismes analytiques.
$\underline{C}^{Nash}$	Les homéomorphismes algébriques.
Proj	Les homéomorphismes projectifs.
Affine	Les homéomorphismes affines.
$\underline{C}^r_G$	Etant donné un sous-groupe G de $GL(n, \mathbb{R})$ $\Lambda = \left\{\begin{array}{l}\text{les homéomorphismes f, r fois} \\ \text{différentiables et tels que la} \\ \text{dérivée en chaque x, } df_x \in G.\end{array}\right.$

Finalement nous définissons <u>Htp</u>

<u>Définition 1.5.</u> Soient $f_i: X \to Y$ $i = 1, 2$ deux applications continues. On dit que f_1 est *homotope* à $f_2 (f_1 \overset{h}{\sim} f_2)$ s'il existe une application continue $F: X \times I \to Y \times I$ $I = [0, 1]$ telle que $F(x, t) = (f_t(x), t)$ pour tout $t \in [0, 1]$, c'est-à-dire le diagramme

suivant est commutatif

$$\begin{array}{ccc} X \times I & \xrightarrow{F} & Y \times I \\ & \searrow \quad \swarrow & \\ & I & \end{array}$$

<u>Définition 1.6</u>. On dit que X est *homotope* à Y ($X \overset{h}{\sim} Y$) s'il existe deux applications $f: X \to Y$ et $g: Y \to X$ telles que $g \circ f \overset{h}{\sim} id_X$ et $f \circ g \overset{h}{\sim} id_Y$ où id_X est l'application identité de X sur X. L'homotopie est une relation d'équivalence; et <u>Htp</u> est l'ensemble des classes d'équivalence d'homotopie d'espaces topologiques (ou souvent d'espaces homotopiquement équivalents à un CW- complexe.)

Si l'on note (i) $\longrightarrow$ l'application naturelle τ

(ii) $\twoheadrightarrow$ une surjection

(iii) $\rightarrowtail$ une injection

alors on a les résultats suivants pour des variétés de dimension finie.

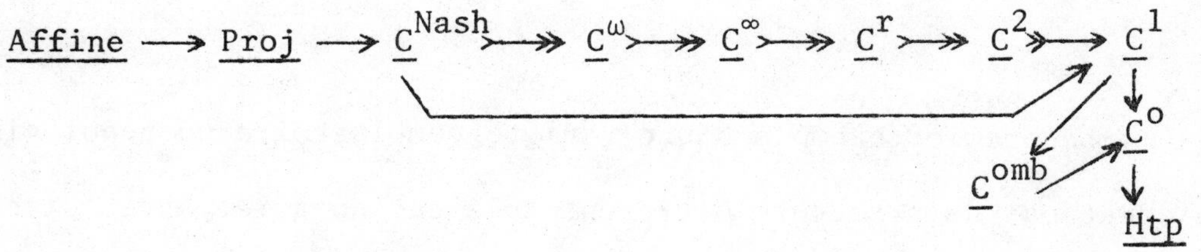

Pour démontrer $\underline{C}^\infty \twoheadrightarrow C^1$ on C^1-approche une application C^1 par une application C^∞. (par exemple en prenant localement la convolution avec une application ∞-différentiable. (Voir L.M. Graves, Some general approximation theoremes. Ann. Math. 42, (1941) p. 281-293).

L'application $\underline{C}^1 \longrightarrow \underline{C}^{omb}$ n'est pas injective parce que dès la dimension 7 il existe des structures différentiables différentes sur des variétés; par exemple la 7-sphère topologique. L'application est injective (resp. surjective) pour des variétés de dimension $n \leq 6$ (resp. $n \leq 7$) mais pas en général si la dimension est supérieure. Ainsi sur la sphère combinatoire S^7 il existe 15 structures différentiables et 28 paires {orientation, structure différentiable }. Cet exemple fut trouvé par J. Milnor et récemment une forme analytique réelle a été trouvée par Milnor, Brieskorn, Hirzebruch. Ce sont les variétés

$$X_j = \{z = (z_1, \ldots z) \in C^5 \mid z_1^{6j-1} + z_2^3 + z_3^2 + z_4^2 + z_5^2 = o \cap \sum_1^5 z_j \bar{z}_j = \varepsilon\}$$

$j \geq 1$ X_j et X_{j+28} sont difféomorphes. (Voir Milnor, Singularities of complex hypersurfaces. Princeton Univ. Press.)

Le premier exemple d'une variété combinatoire ou topologique qui n'admet pas de structure différentiable est dû à Kervaire (dimension 10). Des exemples de dimension 8 sont présentés dans Eells-Kuiper (Manifold like projective planes. Publications IHES, no 14. Voir aussi Kuiper: "Algebraic equations for non-smoothable 8-manifolds" (IHES)).

$\underline{C}^{omb} \to \underline{C}^{o}$ n'est ni injective, ni surjective. Ce sont des résultats très récents. Par exemple T^7 le tore de dimension 7 possède 3 structures combinatoires. Après les résultats de Kirby (Bull. A.M.S., July 1969) ce résultat et beaucoup d'autres sont dus aux travaux conjugués de Kirby, Siebenmann, Wall et W.C. Hsiang, Lashof et d'autres.

$\underline{C}^{o} \to \underline{Htp}$ est bijective dans le cas des variétés compactes de dimension 2.

Dans le cas de la dimension $n \geq 3$, τ n'est pas injectif comme l'indique l'exemple suivant des espaces lenticulaires. (Lens spaces)

$$S^3 = \{(z_1, z_2) \mid z_1 \bar{z}_1 + z_2 \bar{z}_2 = 1\}$$

$$L_{7,k} = \{(z_1, z_2) \mid (z_1, z_2) \sim (z_1 e^{28i/7}, \ z_2 e^{2\pi ik/7})\}$$

$L_{7,1}$ et $L_{7,2}$ sont homotopiquement équivalents (Voir P. Hilton-S. Wylie - Homology Theory); mais ils ne sont pas homéomorphes. Ils peuvent être distingués par la torsion de Reidemeister - de Rham.

§ 1.3 *Problèmes et résultats dans le cas de variétés dont le modèle est un espace d'Hilbert séparable.*

Les résultats connus peuvent se résumer sur le diagramme suivant.

A. $\underline{C}^{\omega} \longrightarrow \underline{C}^{\infty} \longrightarrow \underline{C}^{r} \twoheadrightarrow \underline{C}^{1} \longrightarrow \underline{C}^{o} \twoheadrightarrow \underline{Htp}$ C.W. dénombrable.

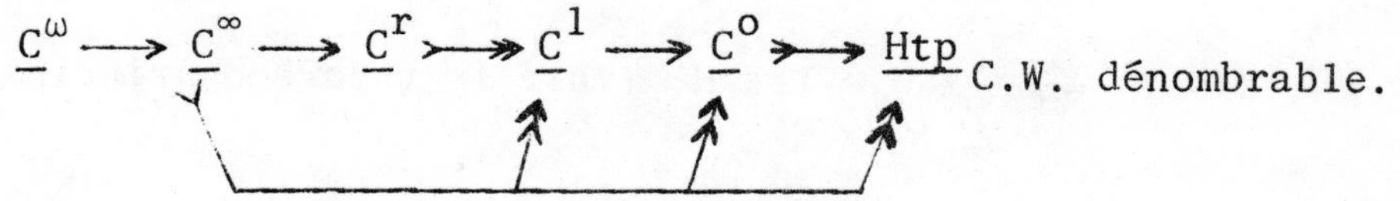

L'injectivité de l'application $\underline{C}^{\infty} \to \underline{Htp}$ est démontrée à partir des résultats très récents de Eells-Elworthy, suivant les étapes:

Soit X une variété modelée sur un espace d'Hilbert H.

(i) X est difféomorphe à un ouvert de H (Eells - Elworthy).

(Voir l'exposé d'Elworthy. Appendice) .

(ii) X admet une fonction de Morse (N. Moulis [17]).

(iii) X est C^∞-difféomorphe à X x H (c.à.d. X est Palais-stable).

(iv) Si X et Y sont homotopiquement équivalents et Palais-stables alors X et Y sont difféomorphes.

B.

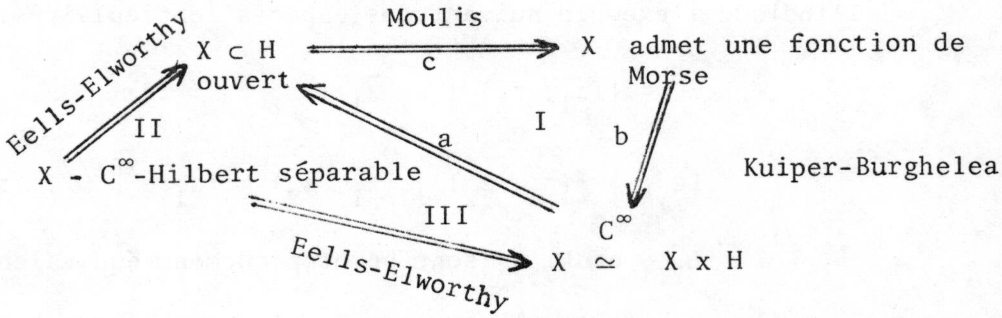

En juin 1968 on n'avait que les équivalences indiquées dans le triangle I à droite.

I a et b se trouvent dans Kuiper-Burghelea [8] .

I c dans Moulis [17].

Puis Eells et Elworthy ont démontré II et plus tard ils ont démontré III directement. (Voir [15]).

C. $X \overset{h}{\sim} Y \Rightarrow X \times H \simeq Y \times H$ (Voir le théorème principal au chapitre 7).

D. <u>Variétés hilbertiennes de Fredholm</u>: Résultats de Eells - Elworthy en utilisant des théorèmes de K.K. Mukherjea.

Soit le pseudo-groupe Λ_F^r = les homéomorphismes h de classe C^r $r \geq 1$ tels que $(dh)_p = I + \alpha$ où α est un opérateur compact.

Soit C_F^∞ = Les variétés de Fredholm de classe C^∞, et soit Λ^r_{Conf} = Les homéomorphismes h tels que $h \in C^r$ et $(dh)_p \in t(1 + \alpha)$ où $t \in \mathbb{R}$ et α est compact.

Problème:

$$\begin{array}{ccc} C_F^\infty & \longrightarrow & \underline{C}^\infty_{Conf}. \\ & {\scriptstyle ?}\searrow \quad \swarrow & \\ & \underline{C}^\infty & \end{array}$$

Toute variété X de classe C^∞ possède une structure de Fredholm - C^∞; car X est C^∞-difféomorphe à un ouvert de H (le modèle). Chaque variété de Fredholm détermine une restriction du groupe du fibré tangent au groupe des opérateurs inversibles σ avec $\sigma - 1$ compact. Une telle restriction est appelée une structure *presque-Fredholm* . On peut distinguer les structures presque-Fredholm sur une variété de Hilbert X par les classes d'homotopie d'applications de X dans la base d'un fibré classifiant. Elworthy a trouvé que chaque structure presque-Fredholm est homotope à une structure de Fredholm. On ne sait rien de la classification des structures de Fredholm.

E. Eells et Elworthy ont aussi obtenu des résultats analogues pour une grande classe d'espaces de Banach ayant une norme C^∞. Pour les espaces ℓ_p avec $p \notin 2\mathbb{Z}$ on ne sait pas beaucoup; pour la classe C^r $r > p$ on ne sait rien de la classification parce que ℓ_p n'admet pas une norme C^r pour $r > p$. (Bonic-Frampton et Kurzweil)

2. *Le théorème de Bessaga et des théorèmes analogues.*

§ 2.1 *La dérivée d'une application.*

Soient E et F deux espaces de Banach. Nous noterons par L(E, F) l'espace des opérateurs linéaires de E dans F. L(E, F) est muni de la topologie définie par la norme.

Définition 2.1. Si $f: E \to F$ est une application, on dira que f est *différentiable au point* $x \in E$ s'il existe $df_x \in L(E, F)$ tel que $f(x + h) - f(x) = df_x(h) + \theta(h)$ où $\lim_{||h||\to o} \frac{||\theta(h)||_F}{||h||_E} = 0$.

df_x est *la dérivée de* f *au point* x.

Si f est différentiable en chaque point x de E, on dit que f *est différentiable*. Dans ce cas on a une application $df: E \to L(E, F)$ qui à chaque point x de E associe la dérivée df_x de f en ce point.

Définition 2.2. Si f est différentiable et si l'application $df: E \to L(E, F)$ est continue (resp. C^p), f est dite *de classe* C^1 (*resp.* C^{p+1}).

Par récurrence on peut définir une application de classe C^{p+1}.

Exemple 2.1. Une application $f: E \to F$ est un *polynôme homogène* de degré n si $f(x) = \phi(x, x, \dots x)$ où $\phi: E^n \to F$ est une application multilinéaire bornée.

Si f est un polynôme homogène de degré n,

$$f(x+h) = f(x) + \phi(h,x,\ldots x) + \phi(x,h,x,\ldots x)+\ldots+\phi(x,\ldots x,h) + \theta(h)$$

$$= f(x) + \psi(x,\ldots x)(h) + \theta(h) \text{ où } \psi(x,\ldots x)(h)$$

$$= \phi(h,x,\ldots x)+\ldots+\phi(x,\ldots x,h)$$

d'où $df_x = \psi(x,\ldots x)$ et $\psi: E^{n-1} \to L(E, F)$.

En observant que ψ est multilinéaire bornée, on conclut que df_x est un polynôme homogène de degré $n-1$.

Exemple 2.2. (Douady - Bonic - Kupka) Les valeurs critiques d'une fonction non dégénérée.

Soit $H = \{x \mid x = (x_1, x_2,\ldots) \; x_i \in \mathbb{R} \text{ et } |x|^2 = \sum(\frac{x_j}{j})^2 < \infty\}$.

H est un espace d'Hilbert.

Considérons l'application $f: H \to \mathbb{R}$ définie par

$f(x) = \sum_1^\infty \frac{-2x_j^3 + 3x_j^2}{2^j}$ f est bien définie puisque si $x \in H$ on a

$\sum(\frac{x_j}{j})^2 < \infty$ d'où il existe A tel que $|x_j| < Aj$ pour tout j.

Alors $\left|\frac{-2x_j^3 + 3x_j^2}{2^j}\right| \leq \frac{2|x_j|^3 + 3|x_j|^2}{2^j} \leq \frac{2A^3j^3 + 3A^2j^2}{2^j}$

$$\leq \frac{A^2(2Aj^3 + 3j^2)}{2^j}$$

$$< \frac{B\,j^3}{2^j} \text{ pour un } B > o,$$

suffisamment grand. Alors les termes de la série sont majorés par les termes d'une série absolument convergente. $(\sum \frac{Bj^3}{2^j})$.

Ainsi $\sum_j \frac{-2x_j^3 + 3x_j^2}{2^j}$ converge.

$$df_x(h) = \sum_j - \frac{6(x_j^2 - x_j)}{2^j} h_j$$

$df_x \in L(H, \mathbb{R}) = H^* \simeq H.$

Quels sont les *points critiques de* f, c'est-à-dire les points x tels que

$$df_x = 0 \quad ?$$

Si $df_x = 0$ on a que tous les coefficients de la somme

$$\sum_j \frac{-6(x_j^2 - x_j)}{2^j} h_j \quad \text{sont nuls,}$$

d'où $x_j = 0$ ou 1. Ainsi l'ensemble des points critiques C est

$$\left\{ x \in H \mid \text{il existe } J \subset \mathbb{N} \text{ tel que } \begin{array}{ll} x_j = 0 & j \in J \\ x_j = 1 & j \notin J \end{array} \right\}.$$

L'ensemble <u>des *valeurs critiques de* f</u>, c'est-à-dire l'ensemble des valeurs f(x) où x est un point critique est

$$\{f(x) = \sum_j \frac{x_j}{2^j} \text{ avec } x_j = 0 \text{ ou } 1\} = \text{l'intervalle } [0, 1].$$

(Comparer ce résultat au théorème de Sard en dimension finie.)

Exemple 2.3 (R. Bonic). Une application localement non compacte dont la dérivée est compacte en chaque point.

Soit $H = \ell_2 = \{x \mid x = (x_1, x_2, \ldots) \quad |x|^2 = \sum x_i^2 < \infty\}$

Soit $(e_i)_{i=1,2,\ldots}$ une base orthonormale de H.

Définissons l'application $f: H \to H$ de la façon suivante

$$f(x_1, x_2, \ldots) = (x_1^2, x_2^2, \ldots) \quad .$$

Notons que f n'est pas compacte puisque l'image de la boule $B = \{x \mid |x| \leq \varepsilon\}$ n'est pas relativement compacte - en effet $f(B)$ contient tous les éléments $\varepsilon^2 . e_i \quad i = 1, 2, \ldots$

La dérivée de f en x : $df : H \to H$ est l'opérateur

$df_x(h_1, h_2, \ldots) = (2x_1 h_1, 2x_2 h_2, \ldots)$

df_x est compact car étant donné $\varepsilon > 0$, il existe un entier $N > 0$ tel que $\sum_{i=N}^{\infty} x_i^2 < \varepsilon$.

d'où $\sum_{i=N}^{\infty} (2x_i h_i)^2 \leq \sum_{i=N}^{\infty} x_i^2 < \varepsilon$ pour $\sum h_i^2 = 1$.

Ainsi l'opérateur $g_\varepsilon : H \to H$ défini par $g_\varepsilon(h_1, h_2, \ldots) = (2x_1 h_1, \ldots, 2x_N h_N)$ est de rang fini et $||g_\varepsilon - df_x|| < \varepsilon$ d'où df_x est compact.

Remarque: L'application $h: H \to H$ donnée par $h(x) = x + f(x)$ où f est l'application de l'exemple 2.3 est un opérateur de Fredholm puisque

$dh_x = 1 +$ compact pour chaque x.

Exemple 2.4 Soit H un espace de Banach et $f: L(H, H) \to L(H, H)$ l'application définie de la façon suivante

$$f(x) = \sum_{m=o}^{\infty} \frac{x^m}{m!} \quad (f(x) = e^x).$$

$$df_x(h) = \sum_{m=0}^{\infty} \frac{x^{m-1}.h + x^{m-2}.h.x + \ldots + hx^{m-1}}{m!}$$

En particulier, si $x = \lambda I$ $\lambda \in \mathbb{R}$ où $I: H \to H$ est l'opérateur $I(y) = y$.

$$df_{\lambda I} = \sum \frac{\lambda^{m-1}.h + \lambda^{m-1}.h + \ldots + \lambda^{m-1}.h}{m!} = (\sum \frac{\lambda^{m-1}.I}{m-1!})(h)$$

$$= e^{\lambda I}.h$$

Si $x = 0$ $df_o.h = h$ pour tout $h \in H$

df_o est l'application identité. Par conséquent, si ε est suffisamment petit, e^x restreinte à la boule $u_\varepsilon(o) = \{x \mid |x| < \varepsilon\}$ est un C^∞-difféomorphisme.

§ 2.2 *Théorèmes et Corollaires du théorème de Bessaga.*

Théorème de Bessaga: Soit H un espace d'Hilbert. En 1953, Klee a démontré que H et H - {o} sont homéomorphes. Bessaga (1966) à son tour a démontré qu'ils sont C^∞-difféomorphes et que ce difféomorphisme peut être construit tel que c'est l'identité à l'extérieur d'un voisinage de l'origine. Nous démontrons tout d'abord qu'il existe un difféomorphisme analytique qui enlève un point.

Théorème 2.1.

Il existe un isomorphisme analytique qui est aussi une application de Fredholm $f_\omega : H - \{o\} \to H$.

Remarque: Avec les mêmes méthodes un peu modifiées, on peut trouver un isomorphisme analytique de $\ell_p - \{o\}$ sur ℓ_p pour $p > 1$ et $p \in \mathbb{R}$.

Démonstration. Posons $H = \{x = (x_1, x_2, \ldots) \mid x_i \in \mathbb{R}$ et $\sum x_i^2 < \infty\}$ l'espace d'Hilbert où $|x|^2 = \sum_1^\infty x_i^2$.

Posons aussi $H_o = \{x = (x_1, x_2, \ldots) \mid \sum (\frac{\varepsilon x_i}{i2^i}) < \infty \}$ où $o < \varepsilon < \frac{1}{2}$. H_o est un espace d'Hilbert avec $|x|_o^2 = \sum_1^\infty (\frac{\varepsilon x_i}{i2^i})^2$

Nous pouvons considérer H comme un sous-espace de H_o. $H \subset H_o$.

Soit $p_1 : [0, 1] \to H_o$ la courbe suivante $p_1(t) = (t, t^2, t^3, \ldots)$

Alors $p_1(t) \in H$ si $0 \leq t < 1$

et $p_1(1) \in H_o - H$.

$p_1'(t) = (1, 2t, 3t^2, \ldots)$ d'où $|p_1'(t)|_o^2 \leq \sum_i \frac{\varepsilon^2}{2^{2i}} \leq \varepsilon^2$.

Considérons les applications $\beta_\omega : [0, \infty) \to (0, 1]$ et $p : [0, \infty) \to H_o$ définies par $\beta_\omega(t) = \frac{1}{1+t}$

et $p_\omega(t) = p_1(\beta_\omega(t))$

Considérons l'application $f_\omega : H_o \to H_o$ définie par

$$f_\omega(y) = y + p_\omega(|y|_o) \quad .$$

Nous déduisons que:

a) $f_\omega : H - \{o\} \to H$ est analytique .

b) f_ω restreinte à un ellipsoïde $\{y \in H \mid |y|_o = \text{constante} > o\}$ est tout simplement une translation; d'où la dérivée en $y \neq o$ restreinte à l'espace tangent de l'ellipsoïde contenant y est l'application identité. De plus, dans la direction radiale la dérivée $|p'_\omega(t)|_o \leq \varepsilon \leq \frac{1}{2}$ pour $\varepsilon < \frac{1}{2}$, donc la dérivée f_ω en chaque point $y \neq o$ est un isomorphisme entre les espaces tangents; par conséquent f a un inverse local qui est analytique.

c) $f_\omega \mid H - \{o\} \to H$ est bijectif i.e. pour chaque $z \in H$ il existe un unique $y \in H - \{o\}$ tel que

$$y + p_\omega(|y|_o) = z \; .$$

Démonstration. Soit $z \in H$ donné. Considérons l'application $q : H_o \to H_o$.

$$q(x) = z - p_\omega(|x|_o) \; ,$$

pour $u, v \in H_o$ on a
$$\begin{aligned} |q(u) - q(v)|_o &= |(z - p_\omega(|u|_o)) - (z - p_\omega(|v|_o))|_o \\ &= |p_\omega(|u|_o) - p_\omega(|v|_o)|_o \\ &< \varepsilon \big|\, |u|_o - |v|_o \big|_o \\ &< \varepsilon\, |u - v|_o \end{aligned}$$

Par conséquent q est une contraction (dans la norme H_o), d'où il existe un unique $y \in H_o$ tel que $q(y) = y$ i.e. $y = z - p_\omega(|y|_o)$.

Ainsi $\exists\, y \in H_o$ tel que $f_\omega(y) = z$.

Puisque $z \in H$, $|y|_o \neq o$ car sinon $o = z - p_\omega(o)$ d'où $z = p_\omega(o) \in H_o - H$, $|y| \neq o \Rightarrow p_\omega(|y|_o) \in H$ d'où $y \in H - \{o\}$.

f_ω est donc <u>bijectif</u>.

d) $df_\omega = I + g$ où g est un opérateur dont l'image est de dimension 1. f_ω est donc un opérateur de Fredholm.

a), b), c) et d) impliquent que f_ω est l'application ayant les propriétés énoncées.

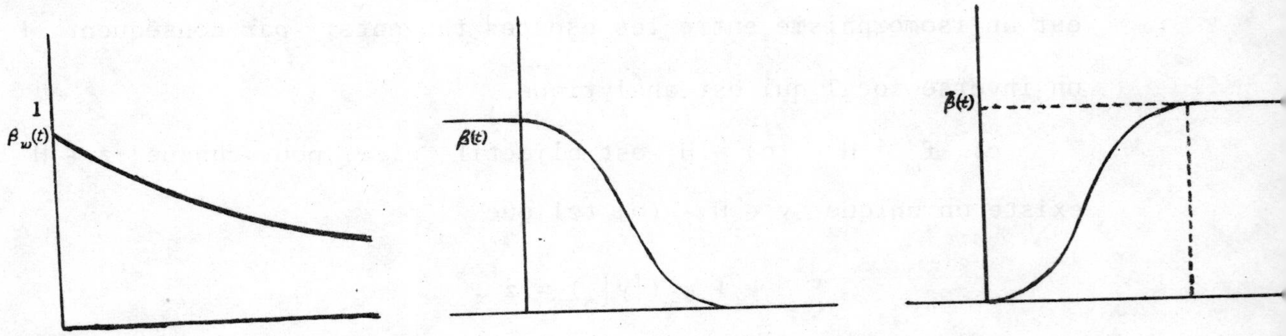

Avant de continuer, nous allons définir un certain nombre de fonctions de classe C^∞ qui seront utilisées par la suite.

(i) $\gamma : \mathbb{R} \to \mathbb{R}$ $\quad \gamma(t) = \begin{cases} \exp \dfrac{1}{t(1-t)} & 0 < t < 1 \\ 0 & \text{sinon} \end{cases}$

(ii) $\overline{\beta} : \mathbb{R} \to \mathbb{R}$ $\quad \overline{\beta}(t) = \begin{cases} \dfrac{\int_o^t \gamma(t)dt}{\int_o^1 \gamma(t)\, dt} & 0 < t < 1 \\ 0 & t \leq 0 \\ 1 & t \geq 1 \end{cases}$

(iii) $\beta(t) = 1 - \overline{\beta}(t) \quad -\infty < t < \infty$

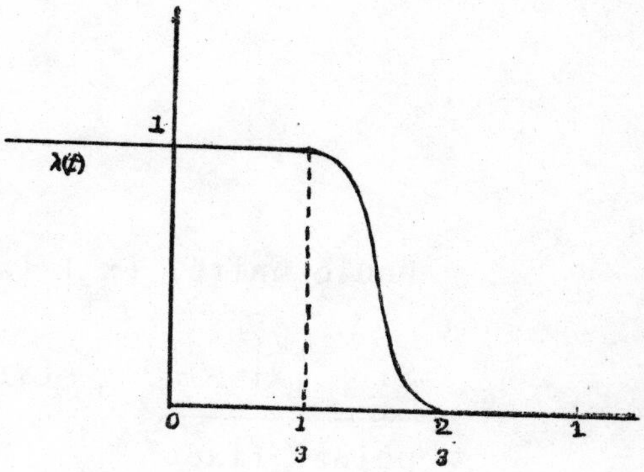

(iv) $\lambda(t) = \beta(\frac{3t-1}{2}) \quad -\infty < t < \infty$

Théorème 2.2.

Il existe un difféomorphisme g *de classe* C^{∞} *de* $H - \{o\}$ *sur* H *tel que* $g(x) = x$ *pour tout* x *tel que* $|x| \geq 1$.

Démonstration. Définissons les applications suivantes

$$p: \mathbb{R} \to H$$

pour chaque $u \in \mathbb{R}$ $f_u: H \to H$

et $\kappa: H \to H$

où $p(t) = p_1(\beta(t)) \qquad t \in \mathbb{R}$

$$f_u(y) = y + p(|y|_o^2 + \overline{\beta}(u))$$

$$\kappa(y) = \lambda(|y|) \,.\, y + [1 - \lambda(|y|)] \; \frac{|y|}{|y|_o} \,.\, y \,.$$

Remarquons les faits suivants

(i) Il est clair que p, f_u et κ sont de classe C^{∞}.

(ii) Pour $u \leq 0$ et ε suffisamment petit $f = f_o = f_u$ est un difféomorphisme $H - \{o\} = H$.

(iii) Si $u > 0$ f_u est un difféomorphisme de H sur H.

(iv) Si $u \geq 1$ $f_u(y) = y + p_1(\beta(|y|_o^2 + 1)$

$= y + p_1(o) = y$ pour chaque y dans H

d'où f_u est l'application identité.

(v) Si $|y|_o \geq 1$ $f_o(y) = y$

(vi) κ est un difféomorphisme de H sur H; qui transforme la boule unité $\{x \mid |x| \leq 1\}$ dans la H_o-boule unité $\{x \mid |x|_o \leq 1\}$

Si $|x| \leq \frac{1}{3}$ $\kappa(x) = x$ c'est-à-dire autour de l'origine κ garde les points fixes.

Si $|x| \geq \frac{2}{3}$ $\kappa(x) = \frac{|x|}{|x|_o} \cdot x$ c'est-à-dire $|\kappa(x)|_o = |x|$

d'où si $|x| \geq 1$ $|\kappa(x)|_o \geq 1$ et si $|x| = 1$ on a $|\kappa(x)|_o = 1$.

De plus $\kappa(o) = 0$.

Le difféomorphisme de classe C^∞ cherchée est alors

$$g = \kappa^{-1} f_o \kappa : \quad \begin{array}{ccc} H - \{o\} & \longrightarrow & H \\ \downarrow \kappa & & \uparrow \kappa^{-1} \\ H - \{o\} & \xrightarrow[f_o]{} & H \end{array}$$

Nous avons bien que si $x \in H$ et $|x| \geq 1$

$|\kappa(X)|_o \geq 1$ d'où $f_o\ (\kappa(X) = \kappa(x)$

et $g(x) = x$.

<u>Corollaire</u>. Pour une C^∞-variété de Hilbert M avec $p \in M$, il existe un difféomorphisme de $M - p$ sur M. Il suffit de plonger H dans M avec o sur p et puis étendre g.

Soient X une variété modelée sur un espace de Hilbert H, et K un sous-ensemble de X.

Une isotopie de classe C^∞ *supprimant* K *de* X *est un* C^∞*-isomorphisme*

$G: X \times I \to (X \times I) - (K \times \{1\})$ tel que:

a) Le diagramme suivant commute

$$\begin{array}{ccc} X \times I & \xrightarrow{\;G\;} & (X \times I) - (K \times \{1\}) \\ & \searrow^{\text{pr.}} \quad {}^{\text{pr.}}\swarrow & \\ & I & \end{array}$$

b) $G \mid X \times \{o\}$ est l'identité.

Dans le cas où $K = \emptyset$, on a une isotopie de classe C^∞ de X.

<u>Théorème 2.3.</u>

Il existe une isotopie supprimant o *de* H.

<u>Démonstration.</u> Dans le théorème précédent, si on pose $g_u = \kappa^{-1} f \kappa$ et alors l'isotopie $G: H \times I \to (H \times I) - (\{0\} \times \{1\})$ est donnée par $G(x, u) = (g_{1-u}^{-1}(x), u)$.

G commute avec les projections sur la deuxième composante, et $G(x, o) = (g_1^{-1}(x), o)$ et g_1 = l'identité sur H.

$G(x, 1) = (g_o^{-1}, 1)$ où g_o est le difféomorphisme du théorème 2.2.

$$g_o: H - \{o\} \to H.$$

<u>Théorème 2.4.</u>

Soit $D = \{x \mid |x| \leq 1\}$ *la boule unité de* H. *Alors il existe des difféomorphismes de classe* C^∞ *de* D *dans* $D \times \mathbb{R}$ *et de* $D \times \mathbb{R}$ *dans* $D \times H$.

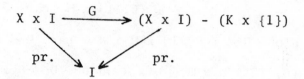

$$D \underset{\rightarrow}{\cong} D \times \mathbb{R} \underset{\rightarrow}{\cong} D \times H$$

Démonstration. $D \simeq D - \{o\}$

$\simeq (0, 1] \times S$ $\left\{\begin{array}{l}\text{ce difféomorphisme est donné par:} \\ x \rightarrow (|x|, \frac{x}{|x|})\end{array}\right.$

$\simeq (0, 1] \times H$ car $S \simeq S - (\text{point}) \simeq H$

d'où $D \simeq (0, 1] \times H \times \mathbb{R}$ car $H \simeq H \times \mathbb{R}$.

Mais $(0, 1] \times H \times \mathbb{R} \simeq D \times \mathbb{R}$ d'où $D \simeq D \times \mathbb{R}$.

$D \simeq (0, 1] \times H \simeq (0, 1] \times H \times H$ car $H \simeq H \times H$

$\simeq ((0, 1] \times H) \times H \simeq D \times H.$

le théorème est donc démontré.

Théorème 2.5.

Soit X *une variété hilbertienne, alors il existe un plongement fermé de* X *dans la boule unité de* H.

$$\sigma: \ X \rightarrow D \subset H.$$

Démonstration. Mac Alpin [9] et Abraham ont démontré que pour toute variété dont le modèle est un espace d'Hilbert séparable H; il existe un plongement fermé dans H. (Voir au Ch. III). Puisque $H \simeq 0 \times H \subset D \times H \simeq D$, X a donc un plongement fermé dans D.

Théorème 2.6.

Il existe une isotopie de H *qui transforme la sphère* $S = \{x | \ |x| = 1\}$ *en un hyperplan dans* H.

<u>Démonstration</u>. L'application $(x, u) \xrightarrow{G} (g_u^{-1}(x), u)$ dans la preuve du théorème 2.2. définit un isomorphisme de $H \times \mathbb{R}$ sur $H \times \mathbb{R} - \{o\} \times (-\infty, 0]$ qui commute avec la projection sur la deuxième composante. Si $u \geq 1$, l'application G devient l'application identité.

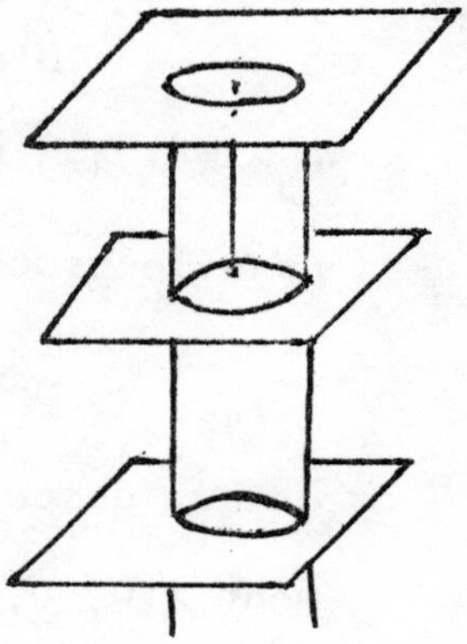

Considérons maintenant l'application.

$G_t(x, u) = (g_{u-t}^{-1}(x), u)$ pour $u \geq 1$ et $t \geq o$

$G_t : H \times [1, \infty) \to H \times [1, \infty)$ pour chaque t

En $t = 0$ $G_t = G_o$ est l'identité.

Si t croît $0 < t < 1$, "il y a des changements pour obtenir un trou".

En $t = 1$ le point $\{o\} \times \{1\} \in H \times [1, \infty)$ est supprimé.

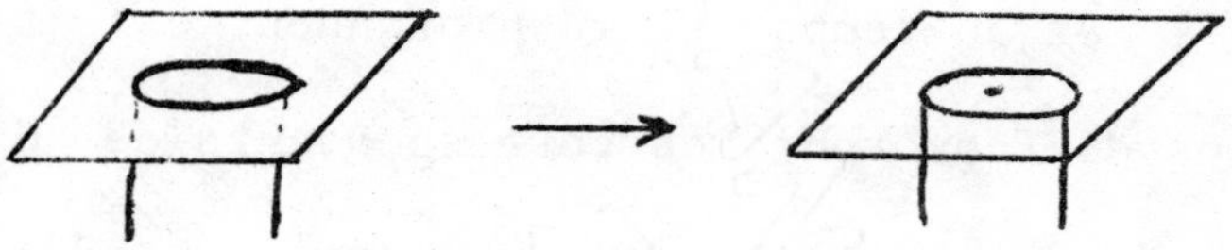

En $t \geq 1$, l'ensemble $\{o\} \times [1, t]$ est supprimé.

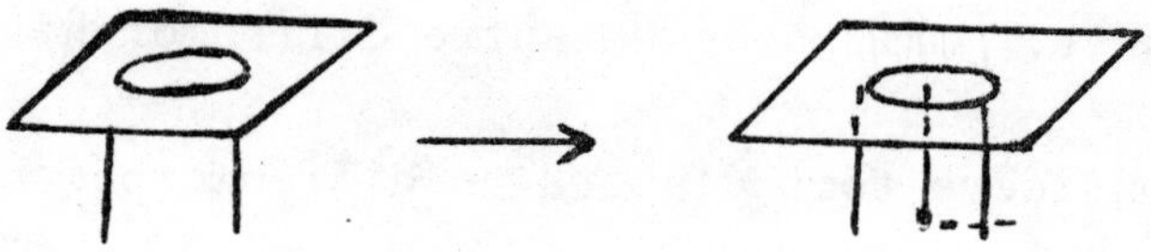

Ainsi on obtient un trou de dimension 1 dans la variété $H \times [1, \infty)$ avec bord $H \times 1$. L'opération préserve la distance $(u-1)$ de chaque point à la frontière.

On applique ce procédé à la preuve du théorème 2.6.

Représentons H au moyen de l'intérieur de la boule fermée $B = \{x \mid |x|^2 = |y|^2 + u^2 + v^2 \leq 4^2\} \subset H \times \mathbb{R} \times \mathbb{R}$ où $x = (y, u, v) \in H \times \mathbb{R} \times \mathbb{R}$ d'où $H \overset{C^\infty}{\simeq} \overset{o}{B}$. La sphère unité est représentée par $\{x \mid |x| = 3\}$, et un hyperplan est donné par $v = 0$.

D'autres sphères concentriques seront $S_W = \{x \mid |x| = W\}$ où $0 < W < 4$. La sphère S_W prend la place de $H \times (5 - W) \subset H \times [1, \infty)$ dans le procédé décrit plus haut pour faire un trou.

On fait un trou dans B qui commence en $(0, 0, 4) \in H \times \mathbb{R} \times \mathbb{R}$ et qui descend le long d'une droite jusqu'à ce que le trou soit le segment $\{(0, 0, W) \mid 2 \leq W \leq 4\}$.

On commence l'opération au temps $t = 0$, le trou apparaît quand $t = 1$ et au temps t la profondeur est $t-1$, $1 \leq t \leq 3$. Notons par ϕ_t les difféomorphismes correspondants de $H \simeq \overset{o}{B}$ dans lui-même $0 \leq t \leq 3$. On a $|\phi_t(x)| = |x|$ pour tout $x \in B$.

Il y a une autre méthode élémentaire, pour avoir le même trou en chaque temps t, mais avec un autre difféomorphisme ψ_t.

On considère tout d'abord un difféomorphisme ψ_t^o de la boule ouverte de dimension 2 $\{(u, v) \in \mathbb{R} \times \mathbb{R} \mid u^2 + v^2 < 4\}$ dans elle-même, tel que ψ_t^o est symétrique par rapport à l'axe v, et laisse les sous-ensembles $v > 0$ (de même que $v < 0$) invariants; et qui donne le trou requis au temps t sur l'axe v, et ψ_o^o = l'identité.

On peut supposer que ψ_t^o est une fonction C^∞ de t, ψ_t est obtenu en faisant une rotation du plan (u, v) dans B autour de l'axe des v et qui transporte le difféomorphisme ψ_t^o.

$\chi_t = \psi_t^{-1} \circ \phi_t \quad 0 \leq t \leq 3$ détermine une isotopie de $H = \overset{o}{B}$ qui transforme la sphère S en une hypersurface de rotation $\chi_3(S)$ dont l'axe est l'axe des v.

On continue l'isotopie pour que l'intersection de $\chi_3(S)$ avec le plan (u, v) vienne en position de la droite v = 0 dans ce plan. En gardant la symétrie on obtient $\chi_s \quad 0 \leq s \leq 4$, telle que $\chi_4(S)$ est l'hyperplan v = 0 dans $H = \overset{o}{B}$.

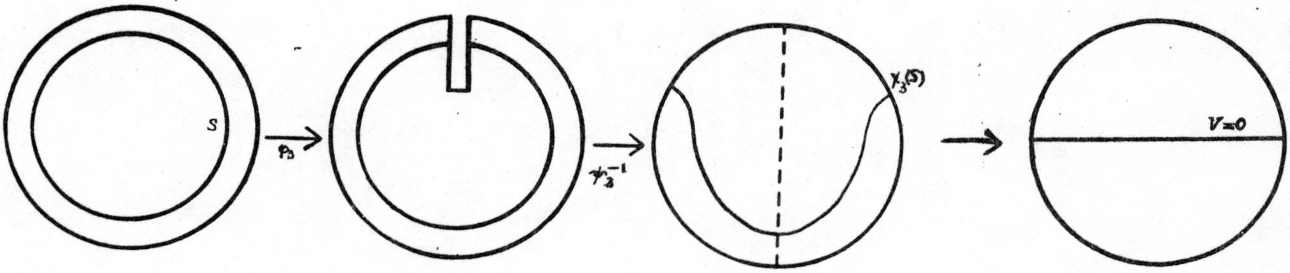

<u>Problèmes</u>:

1) $\{x \mid x \in H \quad |x| < 1\} \overset{C^\infty}{\simeq} \{x \mid 0 < |x| < 1\}$ Est-il possible de généraliser ce difféomorphisme à un difféomorphisme C^ω ou C_F^∞ ?

2) $S \overset{C^\infty}{\simeq} H$ est-ce qu'ils sont C^ω ou C_F^∞ difféomorphes?

3) Les boules $\{x \mid |x| < 1\}$ et $\{x \mid |x| < 2\}$ et l'espace H sont C^∞-isomorphes, est-ce qu'elles sont C_F^∞ isomorphes?

A. Douady a répondu affirmativement à cette question.

<u>Remarque</u>: (octobre 1969) R. Bonic et N. Moulis ont trouvé un résultat partiel: il existe un difféomorphisme Fredholm de H sur un ouvert contenu dans $\{x \mid |x| \leq 1\}$.

3. *Plongements fermés et différentiables de variétés banachiques.*

Introduction.

Pour ce chapitre la référence principale est: N. Kuiper et Terpstra-Keppler: Differentiable Closed Embeddings of Banach Manifolds. Symposium in honour of Prof. G. de Rham. (Springer Verlag).

Dans ce chapitre une variété X sera une C^k-variété métrisable et séparable modelée sur un espace de Banach séparable B dont la norme $x \to |x|$ est une fonction k fois différentiable sur $B - \{o\}$ $1 \leq k \leq \infty$. Muni de cette norme B est dit un *espace de Banach de classe* C^k.

Mac Alpin [9] et Colojoara ont démontré que toute variété hilbertienne de classe C^∞ a un plongement fermé 'split' dans l'espace d'Hilbert ℓ_2. Bonic, Frampton et Tromba [12] ont démontré que toute c_o-variété de classe C^∞ a un plongement fermé split dans c_o, l'espace de Banach des suites de nombres réels convergeant vers 0.

Dans ce chapitre nous démontrons le théorème suivant (voir théorème 3.3.): *Si* B *est un espace de Banach de classe* C^k *et s'il existe un plongement linéaire 'split' et fermé de* $B \oplus B$ *dans* B *alors toute* C^k *-* B*-variété* X *peut être plongée 'split' dans* B.

Problème:

Un plongement linéaire split $\tau: B \oplus B \to B$ est suffisant pour l'existence d'un plongement fermé split de chaque B-variété X dans son modèle. Mais est-ce que cette condition est nécessaire?

Lemme 3.1.

Si B *est un espace de Banach de classe* C^k, *il existe une fonction* $f: B \to \mathbb{R}$, $f \in C^k$ *telle que:*

$$\begin{cases} f(x) > 0 & \text{si } |x| < 1 \\ f(x) = 0 & \text{si } |x| \geq 1 \end{cases}$$

Remarque: La réciproque de ce lemme n'est pas connue: Si B admet une fonction $f: B \to \mathbb{R}$ qui est C^k, avec $f(0) = 1$ et $f(x) = 0$ pour $|x| > 1$. Existe-t-il une C^k-norme sur B?

Démonstration. Si $\beta(t)$ est la fonction définie précédemment. Posons $f(x) = \beta(2|x| - 1)$

$f \in C^k$ et f a les propriétés voulues.

Par conséquent, si X est une C^k-variété, séparable modelée sur un espace de Banach B de classe C^k, et étant donné un recouvrement localement fini, X possède une partition de l'unité subordonnée à ce recouvrement. (Voir Lang [4]).

Définition 3.1. X, Y *deux variétés.* $f: X \to Y$ *est un plongement 'split' si pour tout* $x \in X$ *la suite exacte suivante est 'split'*

$$0 \longrightarrow T_x X \longrightarrow T_{f(x)} Y \longrightarrow (\text{quotient}) \longrightarrow 0$$

<u>Définition 3.2</u>. Soit $B^n = \{(b_1, b_2, \ldots, b_n, \ldots) \mid b_i \in B,$ $b_i = 0$ pour $i > n\}$.

Posons $\sum B = \bigcup_{n=1}^{\infty} B^n = \lim_{n\to\infty} B^n$.

$\sum B$ est un espace vectoriel topologique si on le munit de la topologie "limite inductive"; mais $\sum B$ ne possède aucune structure d'espace de Banach compatible avec sa topologie.

<u>Exercice</u>: Démontrer que $\sum B$ ne possède *aucune* structure d'espace de Banach compatible avec sa topologie.

Dans une première étape nous allons construire une application $f: X \to \sum B$ qui est de classe C^k.

Supposons que $\{\lambda_i : V_i \to B\}_{i=1}^{\infty}$ et $\{\kappa_i : U_i \to B\}_{i=1}^{\infty}$ sont des recouvrements localement finis de la C^k-B-variété X par deux atlas de C^k-cartes dans le modèle B

tels que $U_i \subset V_i$ $\kappa_i = (\lambda_i | U_i)$ et

$\overline{\kappa_i(U_i)} \subset \lambda_i(V_i)$ $\overline{\kappa_i(U_i)}$ borné dans B.

Soit $\{\psi_i\}_{i=1}^{\infty}$ une C^k-partition de l'unité subordonnée au recouvrement $\{U_i\}_{i=1}^{\infty}$ c'est-à-dire

$$\begin{cases} \psi_i : X \to [0, 1] \\ \psi_i(x) = 0 \quad x \notin U_i \\ \sum_i \psi_i(x) = 1 \text{ pour tout } x \in X. \end{cases}$$

Pour $i = 1, 2, \ldots$ définissons $\eta'_i : X \to B \oplus \mathbb{R}$

$$\eta'_i(x) = \begin{cases} \psi_i(x) \cdot (\kappa_i(x) \oplus 1) & \text{si } x \in U_i \\ 0 \in B \oplus \mathbb{R} & \text{si } x \notin U_i \end{cases}$$

La restriction de $\eta_i^!$ à $\psi_i^{-1}((t, 1])$ est un plongement sur une hypersurface pour chaque $t > 0$ et l'espace tangent $B \oplus R$ en un point $\eta_i^!(x)$ se décompose ainsi

$$B \oplus \mathbb{R} = T^!_{i,x} + R_{i,x}$$

où $T^!_{i,x}$ est l'espace tangent au point $\eta_i^!(x)$ par rapport à $\eta_i^!(X)$ et $R_{i,x}$ est l'espace tangent de dimension 1 en $\eta_i^!(x)$ par rapport à la droite réelle $\mathbb{R}$.

Soit $b \in B$ et $\|b\| = 1$; pour une fonctionnelle linéaire $\phi: B \to \mathbb{R}$ avec $\phi(b) = 1$ (ϕ existe: Th. de Hahn Banach), on a la décomposition $B = \mathbb{R}b + \phi^{-1}(0)$ $\mathbb{R}b \cap \phi^{-1}(0) = \{0\}$.

Posons $\iota: B \oplus \mathbb{R} \to B \oplus B$ le plongement linéaire fermé donné par $\iota((x, 1)) = (x, b)$.

Soient $\eta_i = \iota \circ \eta_i^! : X \to B \oplus B$ $\quad i = 1,2,3,\ldots$

$$\eta_o(x) = \sum_{i=1}^{\infty} i\ \psi_i(x)\ .\ b \in \mathbb{R}b \subset B.$$

Notons que la restriction de η_i à $\psi_i^{-1}((t, 1])$ $0 < t < 1$ est alors un C^k-plongement avec décomposition en x.

$$B \oplus B = T_{i,x} + S_{i,x} \qquad \begin{array}{l} T_{i,x} \cap S_{i,x} = \{o\} \\ T_{i,x} = \iota(T^!_{i,x}) \quad S_{i,x} = (0 \oplus \phi^{-1}(o)) + \iota(R_{i,x}) \end{array}$$

L'application cherchée $f: X \to \sum B$ est donnée par

$$f(x) = (\eta_o(x)\ .\ \eta_1(x), \eta_2(x), \ldots) \in B \oplus (B \oplus B) \oplus (B \oplus B) \oplus \ldots = \sum B$$

pour tout $x \in X$.

Théorème 3.1.

$f: X \to \sum B$ *définie ci-haut est une immersion de classe* C^k, *"split", injective, et fermée. Donc* f *est un plongement fermée et split.*

Démonstration.

a) Comme le recouvrement est localement fini on a : pour chaque $x_o \in X$, il existe un voisinage U de x_o et un entier N tel que $\psi_i(x) = 0$ pour tout $x \notin U$ et $i > N$. Alors $f(x) \in B^{2N+1} \subset \sum B$ pour $x \in U$. Il en découle que $f \in C^k$ pour $x \in U$ puisque toutes les applications η_i sont de classe C^k. Comme x_o est arbitraire $f: X \to \sum B$ est de classe C^k.

b) Considérons la restriction de f à l'ensemble $W_{i,\delta} = \psi_i^{-1}((\delta, 1])$ $\delta > 0$. Soit $\pi_j: \sum B \to B$ la projection sur la j^{ieme} composante, nous avons par conséquent que la composition $\eta_i = (\pi_{2i-1} \oplus \pi_{2i})f : X \to B \oplus B$ $i \geq 1$ et $\eta_i \mid W_{i,\delta}$ est un plongement "split". Mais alors $f \mid W_{i,\delta}$ est un plongement "split" de classe C^k. Comme les $W_{i,\delta}$ $i \geq 1$, $\delta > 0$ recouvrent X on a que f est une C^k-immersion split dans $\sum B$. De plus, f est injective sur son image.

c) $x \in W_{i,2\delta}$ ou ce qui est équivalent $\psi_i(x) > 2\delta$. Pour chaque $x \in W_{i,2\delta}$ il existe un voisinage V_x de x dans X tel que $\psi_i(y) > \delta$ pour tout $y \in V_x$ c'est-à-dire $V_x \subset W_{i,\delta}$. Puisque f est continue; pour chaque x il existe un voisinage $U_{f(x)}$ de f(x) dans $\sum B$

tel que $f^{-1}(U_{f(x)}) \subset V_x$, d'où $U_{f(x)} \subset f(W_{i,\delta})$.

Conséquemment l'application injective ensembliste $f^{-1}:f(X) \to X$ est continue aux points de $f(W_{i,2\delta})$ si sa restriction $f^{-1} \mid f(W_{i,\delta})$ est continue en ces points, ce qui est le cas puisque $f \mid W_{i,\delta}$ est un plongement. Comme les ensembles $W_{i,2\delta}$ $i \geq 1$, $\delta > 0$ recouvrent X, f^{-1} est continue et f est un C^k-plongement split.

d) Il ne reste plus qu'à démontrer que f est fermée. Soient $y \in \sum B$ et $y_j = f(x_j)$ où $y_j \to y$ si $j \to \infty$.

Nous démontrerons l'existence d'un $x \in X$ tel que $f(x) = y$. La projection η_o nous donne une suite de nombres réels

$$\gamma_j = \sum_{i=1}^{\infty} i\ \psi_i(x_j) \quad \text{et un nombre } \gamma,$$

où $\eta_o(y_j) = \eta_o(f(x_j)) = \gamma_j.b$, $\gamma_j \to \gamma$ et $\eta_o(y) = \gamma.b$.

Alors il existe un entier $N > 0$ tel que

(1) $\gamma_j = \sum_{i=1}^{\infty} i\ \psi_i(x_j) \leq N$ pour $j \geq 1$; $\gamma \leq N$.

Maintenant supposons que pour un certain j

$$\psi_i(x_j) < \frac{1}{4N} \quad \text{pour } i \leq 2N .$$

Alors $\sum_{i=1}^{2N} \psi_i(x_j) < \frac{1}{2}$; et il s'ensuit que $\sum_{i=2N+1}^{\infty} \psi_i(x_j) \geq \frac{1}{2}$, car

$$\sum_{i=1}^{\infty} \psi_i(x) = 1 ,$$

d'où $\gamma_j = \sum_{i=1}^{\infty} i\ \psi_i(x_j) \geq \sum_{i=2N+1}^{\infty} i\ \psi_i(x_j) \geq \sum_{i=2N+1}^{\infty} (2N+1)\ \psi_i(x_j) \geq (2N+1)\frac{1}{2} > N$

ce qui est une contradiction à (1).

Nous concluons que pour chaque x_j il existe $i \leq 2N$ tel que $\psi_i(x_j) \geq \frac{1}{4N}$ d'où on peut supposer que chaque x_j appartient au fermé

$$\overline{W} = \bigcup_{i=1}^{2N} \psi_i^{-1}\left(\left[\frac{1}{4N}, 1\right]\right) = \bigcup_{i=1}^{2N} \overline{W}_i .$$ f plonge $\overline{W}$ sur le fermé $f(\overline{W})$,

et cette application possède une inverse $g: f(\overline{W}) \to \overline{W}$.

Puisque $y \in f(\overline{W})$, il existe $x \in \overline{W}$ tel que $fx = y$, d'où le théorème 3.1.

Dans une deuxième étape nous construisons un *plongement* χ *de* $\sum B$ *dans un espace de Banach* B'.

Pour chaque $n \geq 1$ nous avons la décomposition

$$\sum B = B^n + B_n \quad \text{où} \quad B_n = \{(b_1, \ldots b_n, \ldots) \in \sum B \mid b_i = 0 \text{ pour } i \leq n\}$$

et $B^n \cap B_n = \{0\}$; et B^n , B_n sont fermés dans $\sum B$.
De plus $B^n \subset B^{n+1}$ et $B_n \supset B_{n+1}$.

<u>Définition 3.3</u>. Supposons l'existence: (i) d'un espace de Banach B', (ii) d'un opérateur linéaire $\chi: \sum B \to B'$, (iii) de sous-espaces B'_n $n = 1, 2, \ldots$ tels que $B' = \chi(B^n) + B'_n$ et $\chi(B^n) \cap B'_n = \{0\}$ tels que $\chi|B^n$ est un isomorphisme de B^n sur $\chi(B^n)$ pour chaque n et tel que le diagramme suivant soit commutatif.

$$\begin{array}{ccccc}
B^n & \longrightarrow & \sum B = B^n + B_n & \longleftarrow & B_n \\
\simeq \downarrow \chi|B^n & & \downarrow \chi & & \downarrow \chi|B_n \\
\chi(B^n) & \longrightarrow & B' = \chi(B^n) + B'_n & \longleftarrow & B'_n
\end{array}$$

les flèches horizontales représentent les décompositions.

Nous appelons un tel espace B' *une complétion de Banach de* $\sum B$.

Remarques: (1) χ n'est jamais un isomorphisme topologique sur son image quoique continue et injective.

(2) B' n'est pas nécessairement de classe C^k.

La démonstration du théorème suivant est immédiate.

Théorème 3.2.

Etant donné une C^k-variété X *dont le modèle est un espace de Banach* B *de classe* C^k $k \geq 1$. *Si* X *est une complétion de Banach de* $\sum B$ *et si* f *est l'application définie dans le théorème* 3.1., *alors* $\chi \circ f$ *est un* C^k-*plongement fermé split de* X *dans* B'.

Exemple. Il existe un plongement fermé split de classe C^k d'une C^k-B-variété X dans $\ell_2(B)$.

Démonstration. Soit $\ell_p(B) = \{b = (b_1, b_2, \ldots) \mid b_i \in B, \|b\|_p^p = \sum_1^\infty |b_i|^p < \infty\}$

$\ell_2(B)$ est un espace de Banach et est une complétion de Banach de $\sum B$, χ étant l'inclusion.

Exemple. Si $B = \ell_2$ dans ce cas $\ell_2(\ell_2) = \ell_2$.

Si $B = \ell_p$ dans ce cas $\ell_p(\ell_p) = \ell_p$ $1 < p < \infty$

il existe un C^k-plongement de toute variété hilbertienne dont le modèle est séparable dans le modèle ℓ_2. De même pour ℓ_p et c_o.

Enfin dans une dernière étape, nous essayons de prendre $B' = B$ <u>*si possible*</u> comme dans le cas ℓ_p $(1 < p < \infty)$ et c_o.

<u>Lemme 3.2</u>.

S'il existe un plongement fermé split de $B \oplus B$ *dans* B *alors il existe une complétion* $\chi: \sum B \to B$.

<u>Démonstration</u>. Soit $\tau: B \oplus B \to B = \tau(B \oplus B) + C$ avec $\tau(B \oplus B) \cap C = \{o\}$ le plongement fermé split.

L'idée de la preuve est de décomposer B.

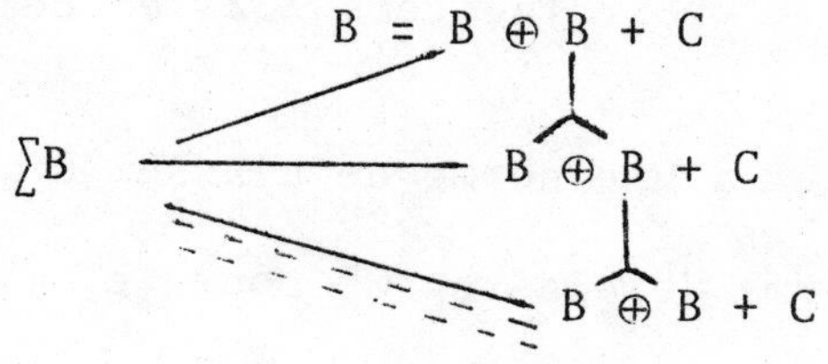

Définissons $\xi(x) = \tau(x, o) \in B$

$\eta(x) = \tau(o, x) \in B$.

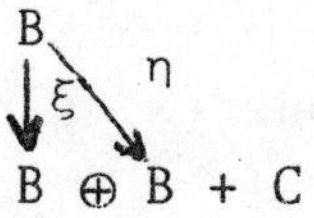

Ainsi $\tau(x, y) = \xi(x) + \eta(y)$,

et nous avons les décompositions

$$B = \xi(B) + \eta(B) + C$$
$$= \xi(B) + \eta(\xi(B) + \eta(B) + C) + C$$
$$= \ldots\ldots$$

La complétion cherchée $\chi: \sum B \to B$ est définie de la façon suivante:

Si $b \in B^n \subset \sum B$ $\quad \chi(b) = \chi(b_1, b_2, \ldots b_n, o, \ldots)$

$$= \xi(b_1) + \eta\xi(b_2) + \ldots + \eta^{n-1}\,\xi(b_n)\,.$$

$$= \sum_{i=1}^{n} \eta^{i-1}\,\xi(b_i)$$

En général $\chi(b) = \sum_{i=1}^{\infty} \eta^{i-1}\,\xi(b_i)$.

χ est bien une complétion de Banach.

Théorème 3.3.

Soit B *un espace de Banach de classe* C^k, *s'il existe un plongement fermé split et linéaire de* $B \oplus B$ *dans* B *alors toute* C^k-B-*variété* X *peut être plongée split dans* B.

Démonstration. Voir Théorème 3.2. et Lemme 3.2.

Exemple. ℓ_2 a une norme de classe C^∞ .

Il existe une norme de classe C^∞ pour c_o (Voir Bonic et Frampton [12]).

Sur $c_o \oplus \ell_2$ on pourrait utiliser la norme $\sqrt{|x|_{c_o}^2 + |y|_{\ell_2}^2}$

pour $(x, y) \in c_o \oplus \ell_2$.

Mais cette norme est non différenciable en tout point (x, y) avec $x = 0$, donc elle n'est pas une norme satisfaisante.

Néanmoins, si $\psi(x_1, x_2)$ est une norme dans $\mathbb{R}^2$ telle que la boule unité convexe est obtenue du carré $\max(|x|_{c_o} + |y|_{\ell_2}) \leq 1$ en arrondissant les angles convenablement (voir la figure), alors une norme C^∞ sur $c_o \oplus \ell_2$ est donnée par

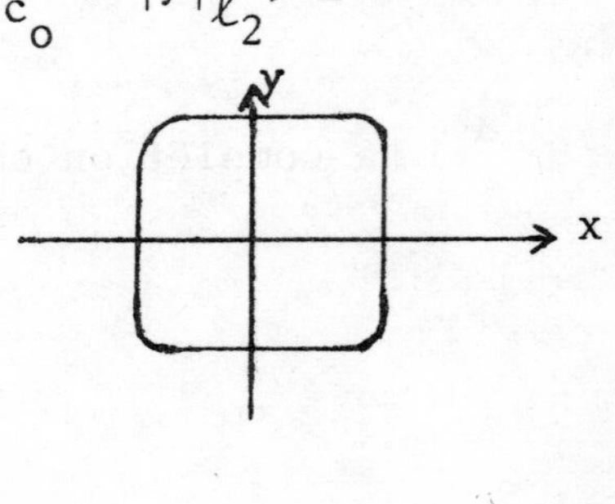

$$(x, y) \to \psi(|x|_{c_o}, |y|_{\ell_2})$$

Dans ce cas, pour chaque $(o, y) \neq (o, o)$ il existe un voisinage U de (o, y) dans lequel la norme de (x, y) ne dépend pas de $|x|_{c_o}$. La norme est alors C^∞ dans U.

Problème: Trouver une norme C^r pour l'espace $\ell_2(B)$ où B possède une norme C^r. Par exemple trouver une norme C^r pour $\ell_2(c_o)$.

Muni de la norme ci-haut on a

$$c_o \oplus \ell_2 \simeq (c_o \oplus c_o) \oplus (\ell_2 \oplus \ell_2)$$
$$\simeq (c_o \oplus \ell_2) \oplus (c_o \oplus \ell_2)$$

d'où $c_o \oplus \ell_2$ possède la propriété énoncée au théorème 3.3.

Un exemple d'Elworthy: *Il existe un espace de Banach qui ne possède pas la propriété énoncée au théorème 3.3.*

R.C. James a construit un espace de Banach très intéressant J dont le dual est séparable (Proc. NAS.[19]). Suivant un théorème de Restrepo, J a une norme de classe C^1. (Problème: Trouver une norme C^∞ pour J s'il en existe?). De plus, il y a un plongement naturel de J dans J^{**}, $i: J \to J^{**}$, de codimension 1. $i(x)(f) = f(x)$ pour tout $f \in J^*$

$$0 \longrightarrow J \xrightarrow{i} J^{**} \longrightarrow \mathbb{R} \longrightarrow 0 .$$

Si $\sigma: J \to J$ est un opérateur borné, σ induit $\sigma^*: J^* \to J^*$ et $\sigma^{**}: J^{**} \to J^{**}$.

Remarquons que $\sigma^{**}.i(x) \in J^{**}$ car

$$(\sigma^{**} \,.\, i(x))(f) = (\sigma^{**}(i(x)))(f)$$

$$= (i(x) \,.\, \sigma^{*})(f) \quad i(x)(f \,.\, \sigma)$$

$$= (f \,.\, \sigma)(x)$$

$$\begin{array}{ccccccccc}
0 & \longrightarrow & J & \xrightarrow{i} & J^{**} & \longrightarrow & \mathbb{R} & \longrightarrow & 0 \\
 & & \downarrow{\scriptstyle \sigma} & & \downarrow{\scriptstyle \sigma^{**}} & & \downarrow{\scriptstyle d(\sigma)} & & \\
0 & \longrightarrow & J & \xrightarrow{i} & J^{**} & \longrightarrow & \mathbb{R} & \longrightarrow & 0
\end{array}$$

Mais $f \in J^{*}$, $x \in J$ $(i \,.\, \sigma)(x)(f) = i(\sigma(x))(f) = f(\sigma(x))$

d'où $i \,.\, \sigma = \sigma^{**} \,.\, i$.

Ainsi σ induit $d(\sigma)\colon \mathbb{R} \to \mathbb{R}$; $d(\sigma)$ est le déterminant d'Elworthy.

<u>Exemples</u>. Si σ = identité, σ^{**} est l'identité d'où $d(\sigma) = 1$.

Si σ = -identité, σ^{**} est -l'identité d'où $d(\sigma) = -1$.

Si σ est un automorphisme, le déterminant d'Elworthy est dans ce cas non nul.

<u>Rappelons aussi les faits suivants:</u>

Si $C = A \oplus B$ on a $C^{*} = A^{*} \oplus B^{*}$ et $C^{**} = A^{**} \oplus B^{**}$ et l'inclusion $C \to C^{**}$ est composante à composante, c'est-à-dire

$$\begin{array}{ccc}
A \times B & \longrightarrow & A \oplus B = C \\
\downarrow & & \downarrow \\
A^{**} \times B^{**} & \longrightarrow & A^{**} \oplus B^{**} = C^{**}
\end{array}$$

est un diagramme commutatif.

Maintenant nous allons montrer que $J \oplus J$ ne peut être plongé "split" dans J. Supposons le contraire, ainsi on suppose l'existence de $\tau\colon J \oplus J \to J = \tau(J \oplus J) \oplus C$.

En passant aux double-duals.

$$\begin{array}{ccccccc}
\tau(J\oplus J)\oplus C & \longrightarrow & [\tau(J\oplus J)]^{**}\oplus C^{**} = J^{**}\oplus J^{**}\oplus C^{**} & \longrightarrow & \mathbb{R}^2\oplus C^{**}/C & \longrightarrow & 0 \\
\downarrow = & & \downarrow = & & \downarrow = & & \\
J & \longrightarrow & J^{**} & \longrightarrow & \mathbb{R} & \longrightarrow & 0
\end{array}$$

ce qui est impossible car $\dim(\mathbb{R}^2 \oplus C^{**}/C) \geq 2$ et $\dim \mathbb{R} = 1$.

Exemple d'une variété banachique qui ne peut être plongée dans son modèle (Elworthy).

Soit J l'espace de Banach de James.

Considérons le produit $J \times I$ où nous identifions (x, o) et $(-x, 1)$ pour chaque $x \in J$; ceci nous donne un fibré ν non trivial de fibre J et de base S^1. Soit M l'espace total de ν, c'est le James-Möbius-blatt. M est une variété modelée sur J.

Supposons que M est plongée dans J (nous verrons que cela mène à une contradiction.)

$$S^1 \subset M \subset J \quad .$$

Sur S^1 il y a deux fibrés:

(i) le fibré tangent de M restreint à S^1, c'est le fibré $\nu \oplus R$.

(ii) le fibré tangent de J restreint à S^1 de fibre J, ou si l'on veut $J \oplus \mathbb{R} (\simeq J)$. Le fibré tangent de S^1 est plongé dans cette fibre et on peut l'identifier à $0 \oplus \mathbb{R}$ dans $J \oplus \mathbb{R}$ et à $0 \oplus \mathbb{R}$ dans $\nu \oplus \mathbb{R}$.

Ainsi l'on a $\nu \subsetneq J$

Supposons que U_1 et U_2 sont des ouverts de S^1 avec des trivialisations τ_1 et τ_2 du fibré ν.(π: $\nu \to S^1$)

$$U_1 \times J \xleftarrow{\tau_1} \pi^{-1}(U_1)$$

$$U_2 \times J \xleftarrow{\tau_2} \pi^{-1}(U_2)$$

Pour chaque $x \in U_1 \cap U_2$, $\tau_2 \cdot \tau_1^{-1}$ induit une application $\sigma_x: J \to J$, qui induit à son tour $\sigma_x^*: J^* \to J^*$ et $\sigma_x^{**} : J^{**} \to J^{**}$. Vu la construction de ν, σ_x = -identité si $x \in U_1 \cap U_2$.

Soit $d(\nu)$ le fibré quotient $o \to \nu \to \nu^{**} \to d(\nu) \to o$.

Puisque $d(\sigma_x) = 1$ si σ_x = identité
$ = -1$ si σ_x = -identité
$d(\nu)$ est le fibré de Möbius classique

L'analogue $d(J)$ du fibré J sur S^1 $(S^1 \times J \to S^1)$ est un fibré trivial $\mathbb{R}$ d'où l'on a la situation suivante

$$\begin{array}{ccc} \nu & \subseteq & J \\ \downarrow & & \downarrow \\ \nu^{**} & \subseteq & J^{**} \\ \downarrow & & \downarrow \\ d(\nu) & \subsetneq & R \end{array}$$

ce qui est impossible, puisque $d(\nu)$ qui est non trivial ne peut être plongé dans un fibré trivial.

On en conclut que M ne peut être plongée dans J.

Remarque: Elworthy a trouvé (Octobre 1969) une variété de James qui ne peut être plongée 'split' dans J^n pour $n < \infty$.

Problème: Existe-t-il un espace de Banach réflexif $B = B^{**}$ pour lequel on n'a pas de plongement linéaire de $B \oplus B$ dans B?

Remarque: L'espace de Banach J ne possède pas de structure complexe.

Preuve. Si $\sigma: J \to J$ est un automorphisme avec $\sigma^2 = -1$. Alors

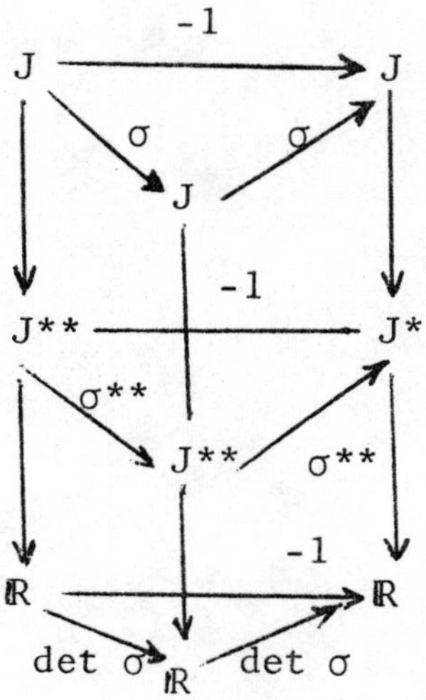

d'où $(\det\sigma)^2 = -1$

impossible car $\det\sigma \in \mathbb{R}$.

4. *Le groupe linéaire d'un espace d'Hilbert H est contractile.*

Soit B un espace de Banach et soit H un espace d'Hilbert.

Posons <u>End. B</u> = $\{\sigma : B \to B \mid \sigma$ opérateur continu$\}$.

<u>GL(B)</u> = $\{\sigma \in$ End. B $\mid \sigma$ inversible$\} \subset$ End. B.

Muni de la norme $\|\sigma\| = \sup\limits_{0 \neq x \in B} \dfrac{|\sigma(x)|}{|x|}$, End. B est un espace de Banach, et dans ce cas GL(B) est *un ouvert de* End. B. (Voir Lang [4] .)

Si $\mathbb{R}$, $\mathbb{C}$ et $\mathbb{H}$ dénotent respectivement le corps des réels, des complexes et des quaternions, et si H est un espace d'Hilbert.

$\mathbb{R}^n = \{x = (x_1, x_2 \ldots) \mid x_i = o \quad i > n\} \subset H$ et possède un complément orthogonal; et $GL(n) = GL(\mathbb{R}^n) \subset GL(n+1) \subset GL(H)_{norme}$.

<u>Théorème 4.1.</u>

$GL(H)_{norme}$ *est contractile, c'est-à-dire, il existe* $F: GL(H) \times I \to GL(H) \times I$ *tel que* $F(x,t) = f_t(x)$ et $f_o(x) = x$ $f_1(x) = e$ *pour tout* $x \in GL(H)$.

Avant de démontrer le théorème, examinons quelques conséquences du théorème 4.1.

<u>Corollaire 4.1.</u> *Soit* $\sigma: H \to H$ où $\sigma(x_1,x_2,\ldots) = (-x_1,x_2,\ldots)$ *alors il existe une application continue* α *de* I *dans* GL(H) *telle que*

$\alpha(0) = \sigma$ *et* $\sigma(1) = id_H$.

Corollaire 4.2. $i: GL(n) \to GL(H)$ *est homotope à l'application constante.*

Quelques constatations au sujet des groupes linéaires.

(I) Tout d'abord, si on considère GL(n) on a les conclusions suivantes:

$$GL(1) \to GL(n) \to \bigcup_{n=1}^{\infty} GL(n) = GL(\infty) \text{ avec la topologie limite.}$$

De plus l'ensemble $GL(\infty)$ est contenu dans $GL(H)_{norme}$ d'où nous pouvons munir $GL(\infty)$ de la topologie norme, et on a les inclusions ensemblistes suivantes:

$$GL(1) \to GL(n) \to GL(\infty)_{lim} \to GL(\infty)_{norme} \to GL(H)_{norme} \subset \text{End } H.$$

Toutes ces applications sont continues. On peut munir GL(H) de deux autres topologies:

(i) La topologie "compact-ouvert" $GL(H)_{c.o}$

(ii) La topologie "chaotique" $GL(H)_{chaotique}$ où on ne connaît que deux ouverts $\emptyset$, et GL(H).

Si le théorème sur la contractibilité de GL(H) est démontré alors GL(n) et $GL(\infty)$ peuvent être homotopiquement réduits à un point. Il est cependant intéressant de construire cette contraction explicitement pour étudier des généralisations possibles à des espaces de Banach; la méthode utilisée sera appliquée dans la preuve du théorème.

(II) Tout à fait indépendamment de la preuve du théorème 4.1., on peut remarquer que $GL(n)$ et $GL(\infty)_{lim}$ ne sont pas connexes donc pas contractiles puisqu'il existe une fonction "déterminant" dans $\mathbb{R} - \{o\}$, ce dernier n'étant pas connexe. On verra qu'une telle fonction ne peut exister sur $GL(H)$ quand on aura démontré la contractibilité de $GL(H)$.

Dans le cas de $GL(\infty)_{norme} = GL(H)_{norme} \cap (1 + \text{compacte})$ nous n'avons pas de fonction "déterminant" mais il existe une application dans $\{+ 1, - 1\}$ qui est le signe du déterminant.

Exemple: $\sigma_n = 1 + \frac{1}{n} \in GL(n^2) \subset GL(\infty)_{norme}$

$$\det (1 + \frac{1}{n}) = (1 + \frac{1}{n})^{n^2} \to \infty \text{ si } n \to \infty \text{ d'où } \det \sigma_n \text{ ne converge pas.}$$

Dans $GL(\infty)_{norme}$, $\sigma_n \to \underline{1}$ car $\|\sigma_n - \underline{1}\| = \frac{1}{n} \to o$ et le signe $\det \sigma / |\det \sigma|$ du déterminant de σ_n est toujours + 1.

(III) Douady-Dixmier ont démontré que $GL(H)_{c.o.}$ est contractile. Notons que $GL(H)_{chaotique}$ est aussi contractile.

Le tout se résume dans le diagramme suivant d'applications continues

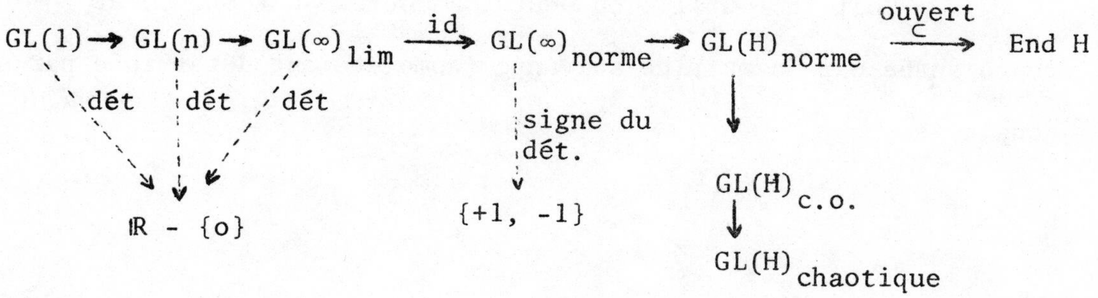

La démonstration du théorème 4.1. est divisée en quatre étapes. Dans les trois premières nous supposons que H est *séparable*; et possède une base $e_1, e_2, \ldots$. Enfin dans la dernière étape nous étudions le cas non séparable.

<u>Première étape</u>. GL(n) est contractile dans GL(H).

$o \neq q \in \mathbb{R}$, soit $\phi_{t,q} = \begin{pmatrix} \cos t & \sin t \\ -\sin t & \cos t \end{pmatrix} \begin{pmatrix} q & 0 \\ 0 & 1 \end{pmatrix} \begin{pmatrix} \cos t & -\sin t \\ \sin t & \cos t \end{pmatrix} \begin{pmatrix} q^{-1} & 0 \\ 0 & 1 \end{pmatrix}$

$$= \begin{cases} \begin{pmatrix} 1 & 0 \\ 0 & 1 \end{pmatrix} & \text{si } t = 0 \\ \begin{pmatrix} q^{-1} & 0 \\ 0 & q \end{pmatrix} & \text{si } t = \pi/2 \,. \end{cases}$$

Notons que $\phi_{t,-1}$ est une homotopie de $\begin{pmatrix} 1 & 0 \\ 0 & 1 \end{pmatrix}$ à $\begin{pmatrix} -1 & 0 \\ 0 & -1 \end{pmatrix}$

$\mathbb{R}^n$ peut être plongé dans H, (dont la base est $e_1, e_2, \ldots$)

$x \in \mathbb{R}^n$ $x = (x_1, x_2, \ldots x_n, o, o, \ldots)$; de même $GL(n) \hookrightarrow GL(H)$

$q \in GL(n)$, on pose $q(e_i) = e_i$ $i > n$.

Soit $q \in GL(1)$, on peut considérer $q \in GL(H)$, et q est représentée par la matrice suivante (complètement déterminée par sa diagonale)

$$\begin{pmatrix} q & & & \\ & \begin{matrix}1&0\\0&1\end{matrix} & & \\ & & \begin{matrix}1&0\\0&1\end{matrix} & \\ & & & \ddots \\ & & & & 1 \end{pmatrix} \xrightarrow[0\leq t\leq \pi/2]{f_t} \begin{pmatrix} q & & & \\ & \begin{matrix}q^{-1}&0\\0&q\end{matrix} & & \\ & & \begin{matrix}q^{-1}&0\\0&q\end{matrix} & \\ & & & \ddots \end{pmatrix} = \begin{pmatrix} \begin{matrix}q&0\\ &q^{-1}\end{matrix} & & \\ & \begin{matrix}q&0\\0&q^{-1}\end{matrix} & \\ & & \ddots \end{pmatrix}$$

$$\Big\downarrow f_t \quad \pi/2\leq t\leq \pi$$

$$\begin{pmatrix} 1 & & & & \\ & 1 & & & \\ & & 1 & & \\ & & & 1 & \\ & & & & \ddots \end{pmatrix}$$

où $\begin{pmatrix} q & & \\ & \phi_{t,q} & \\ & & \phi_{t,q} \\ & & & \ddots \end{pmatrix} = f_t = \underline{1} \oplus \phi_{t,q} \oplus \phi_{t,q} \oplus \cdots \qquad o \leq t \leq \pi/2$

où $\phi_{t,q}$ est une matrice 2×2 .

et $f_t = \phi_{t,q^{-1}} \oplus \phi_{t,q^{-1}} \oplus \cdots \qquad \pi/2 \leq t \leq \pi.$

d'où f_t est une homotopie de q à l'identité dans $GL(H)$. Par conséquent, $GL(1)$ *est contractile dans* $GL(H)$.

Passons maintenant au cas $GL(n)$; si $q \in GL(n)$, $q \in GL(H)$ et dans ce cas la preuve est identique au cas $GL(1)$ si l'on pose q = une matrice inversible $n \times n$, q^{-1} son inverse et $\cos t$ la multiplication scalaire par $\cos t$ dans $\mathbb{R}^n$: $\cos t \ \begin{pmatrix}1 & 0\\ 0 & \ddots 1\end{pmatrix}$; de même pour $\sin t$.

Ainsi on a le résultat $GL(n)$ *est contractile dans* $GL(H)$.

Ouvrons une parenthèse ici pour voir les *Généralisations possibles*.

Soit B un espace de Banach, avec une base $e_1, e_2, \ldots$ et soit $\mathbb{N}$ l'ensemble des entiers naturels.

Définition 4.1. Une application $\pi: \mathbb{N} \to \mathbb{N}$ est une *permutation* si π est bijective.

Définition 4.2. La permutation π est dite *bornée* s'il existe un entier K tel que $|\pi(i) - i| < K$ pour tout i dans $\mathbb{N}$.

Définition 4.3. Un espace de Banach B avec une base $e_1, e_2, \ldots$ est *symétrique* (respectivement *symétrique bornée*) si pour chaque permutation (resp. permutation bornée) π de $\mathbb{N}$ il existe un isomorphisme $\sigma(\pi): B \to B$ avec $\sigma(\pi)(e_i) = e_{\pi(i)}$.

Définition 4.4. On dit que B *admet des projections* si pour chaque application $\beta: \mathbb{N} \to \{0, 1\}$ il y a projection déterminée par $e_i \to \beta(i)e_i$.

Dans la démonstration de la contractibilité de GL(n) dans GL(H), nous avions la situation suivante:

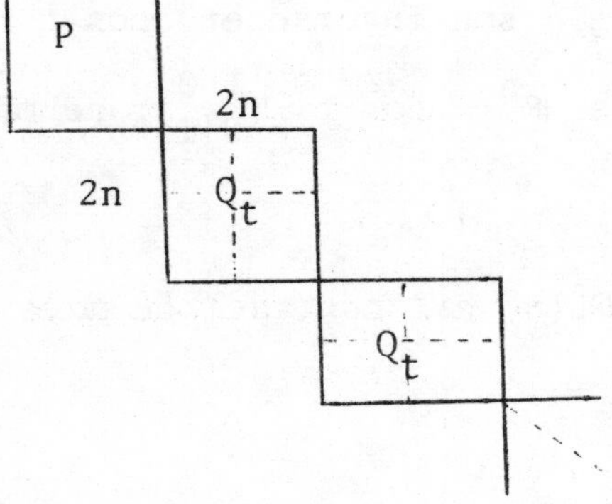

où Q_t était une matrice 2n x 2n et si $N = (2n)^2$

$$Q_t = \begin{pmatrix} \alpha_1 & \alpha_2 & \cdots \\ \cdots & \cdots & \cdots \\ \cdots & \cdots & \alpha_N \end{pmatrix}$$

Q_t est alors une somme de matrices élémentaires chacune

étant $\alpha_i \begin{pmatrix} 0 & & 0 \\ & 1 & \\ 0 & & 0 \end{pmatrix}$ $i = 1,2,\ldots N$ où 1 est dans la position $i^{\text{ème}}$.

Comment obtient-on la $i^{\text{ème}}$ matrice?
(supposons que le 1 est dans la $r^{\text{ième}}$ rangée et la $s^{\text{ième}}$ colonne.)

$$\begin{array}{c} \\ r \\ \\ \end{array} \begin{pmatrix} & \overset{s}{\vdots} & \\ \cdots & 1 & \\ & & \end{pmatrix}$$

Tout d'abord on effectue une permutation bornée qui échange e_r et e_s ; la matrice de cette transformation est

$$\begin{array}{c} \\ \\ \\ r \\ s \\ \\ \end{array} \begin{pmatrix} 1 & & & \overset{r}{\vdots} & & \overset{s}{\vdots} & \\ & 1 & & \vdots & & \vdots & \\ & & \ddots & \vdots & & \vdots & \\ \cdots & \cdots & \cdots & 0 & \cdots & 1 & \cdots \\ \cdots & \cdots & \cdots & 1 & \cdots & 0 & \cdots \\ & & & & & \vdots & \ddots \\ & & & & & & 1 \end{pmatrix}$$

et on fait suivre cette permutation d'une projection qui envoie

$e_r \to e_r$ et $e_i \to 0$ $\quad i \neq r$

$$\begin{array}{c} \\ r \\ \\ \end{array} \begin{pmatrix} 0 & \overset{r}{\vdots} & \\ & & 0 \\ \cdots & 1 & \\ 0 & & 0 \end{pmatrix}$$

Si $f_t = \sum_{i=1}^{N} \alpha_i \, p_i \, \sigma_i$ où $\alpha_i \in \mathbb{R}$, p_i est une projection et

σ_i une permutation bornée.

f_t est une contraction pour la matrice $2n \times 2n$ et la contraction pour toute la matrice est analogue à la preuve de la page 57.

Par conséquent, si B est un espace de Banach qui est somme de B' et B'' et si B' admet une base telle que B' est symétrique, borné et admet des projections, alors GL(n) est contractile dans GL(B).

<u>Exemple</u>: $B = c_o \oplus \ell_2$.

<u>Problèmes.</u> Existe-t-il un espace de Banach tel que GL(n) n'est pas contractile dans GL(B)? Existe-t-il un espace de Banach qui ne contient pas un sous-espace fermé split avec base (bornée) symétrique?

<u>Continuons maintenant la preuve du théorème principal</u>.

<u>Deuxième étape</u>. Soit B un espace de Banach (séparable ou non). Posons $\ell_p(B) = \{b = (b_1, b_2,\dots) \mid b_i \in B \text{ et } \|b\|^p = \sum_1 |b_i|^p < \infty\}$ c'est un espace de Banach. GL(B) *est contractile dans* $GL(\ell_p(B))$. (Cet exemple nous sera utile dans le cas $B = \ell_2$ et $p = 2$ car $\ell_2(\ell_2) = \ell_2$).

<u>Démonstration</u>. Dans le cas $\ell_p(B)$, si $q \in GL(B)$

alors

$$Q = \begin{pmatrix} q & & \\ & q & \\ & & q \\ & & & \ddots \end{pmatrix} \quad \text{et} \quad Q^{-1} = \begin{pmatrix} q^{-1} & & \\ & q^{-1} & \\ & & \ddots \end{pmatrix}$$

sont des éléments qui opèrent sur $\ell_p(B)$, car

$$x \in \ell_p(B) \qquad \|Qx\|^p = \sum |qx_i|^p \le \sum \|q\|^p \, |x_i|^p$$
$$\le \|q\|^p \sum |x_i|^p$$
$$= \|q\|^p \, . \, \|x\|^p \quad \text{d'où } Qx \in \ell_p(B).$$

$$\|Q\|^p = \sup_{\|x\|=1} \|Qx\|^p \leq \sup_{\|x\|=1} \|q\|^p \|x\|^p \leq \|q\|^p$$

et alors $\|Q\| = \|q\|$.

Q est donc élément de $GL(\ell_p(B))$.

On trouve alors des homotopies

$$\begin{pmatrix} q & & \\ & 1 & \\ & & 1 \end{pmatrix} \xrightarrow{\begin{pmatrix} 1 & 0 \\ 0 & b \end{pmatrix}} \begin{pmatrix} q & & \\ & Q^{-1} & \\ & & Q \end{pmatrix} \xrightarrow{c} \begin{pmatrix} Q^{-1} & \\ & Q \end{pmatrix} \xrightarrow{b^{-1}} \begin{pmatrix} 1 & \\ & 1 \end{pmatrix}$$

où c est une permutation (changement) convenable des espaces coordonnés B dans $\ell_p(B)$ et b est donnée par la formule pour $\phi_{t,q}$ à la page 57.

<u>Problème</u>. Essayer de généraliser dans la direction de la base symétrique du cas étudié à la première étape.

<u>Exemple</u>: Si $H = H' \oplus H_1$ est un espace d'Hilbert, on peut décomposer (exercice) $H' = H_2 \oplus H_3 \oplus \ldots$ en choisissant H_i $i \geq 2$ un espace d'Hilbert. (par exemple, si $\{e_1, e_2, \ldots\}$ est une base orthonormale de H', H_i $(i \geq 2)$ est le sous-espace fermé engendré par les e_j pour lesquels il existe un entier m_j tel que

$$j = 2^{i-2}(2m_j+1)$$

dans ce cas $V = \{g \mid g \in GL(H)$ et $g \mid H' = 1 \in GL(H')$ et $g(H_i) = H_1\}$ est contractile dans $GL(H)$.

Troisième étape. Dans cette étape finale on montre que les groupes d'homotopies $\pi_k(GL(H))$ sont nuls, c'est-à-dire si $f: S^k \to GL(H)$ alors f est homotope à $g: S^k \to GL(H)$ où $g(S^k) = 1 \in GL(H)$. Ce résultat sera une conséquence des lemmes suivants:

La linéarisation par morceaux de $f = f_o$.

Lemme 4.1.

Soit $f_o: S^k = S \to GL(H) \subset \text{End } H$ *une application continue de la* k*-sphère dans* GL(H), *alors* f_o *est homotope à* $f_1: S \to GL(H)$ *où* $f_1(S) \subset GL(H)$ *est contenu dans un complexe simplicial fini de* GL(H).

Démonstration. S étant compact, nous avons $f_o(S) \subset GL$ est compact; d'où nous pouvons supposer que $f_o(S)$ peut être recouvert par un nombre fini de boules de rayon $\varepsilon > 0$. De plus, GL(H) étant ouvert dans End. H, ces boules sont contenues dans GL(H). Soit T une triangulation suffisamment fine de S, afin que l'image de chaque simplexe de T soit contenue dans l'une de ces boules.

Définissons f_1 comme suit: $f_1(s_j) = f_o(s_j)$ si s_j est un sommet de T, $j = 1, \ldots, N$ puis f_1 est défini sur chaque simplexe par le prolongement affine.

L'homotopie cherchée est donnée par

$$f_t = (1-t)\, f_o + t.f_1 \qquad\qquad 0 \leq t \leq 1.$$

Et on voit que f_1 a les propriétés voulues.

<u>Lemme 4.2.</u>

Il existe un sous-espace fermé de dimension infinie H' *de* H *et une application* $f_3: S \to GL(H)$ *homotope à* f_1 *avec* $f_3(s)(x) = x$ *pour chaque* $x \in H'$.

Ce lemme sera démontré en plusieurs étapes - les lemmes 4.3., 4.4.

Tout d'abord, nous introduisons, par récurrence sur i, une suite infinie (i) de vecteurs unitaires a_i ,

(ii) de sous-espaces A_i (de dimension N+2) de H

(iii) de vecteurs unitaires a_i^o pour $i = 1, 2, \ldots$

Choisissons a_1 *un vecteur unitaire arbitraire de* H. *Soit* A_1 *le sous-espace de* H *de dimension* N+2 *contenant* a_1, $f_1(s_j)(a_1)$ $j = 1,\ldots N$ *et un vecteur unitaire* a_i^o *orthogonal à ces* N+1 *vecteurs.*

Notons que A_1 contient $f_1(s)(a_1)$ pour tout $s \in S$.

<u>Notation</u>: Si $B \subset H$ est un sous-espace fermé de H, nous noterons $B^\perp = \{x \in H \mid yx = 0 \text{ pour tout } y \in B\}$.

Supposons a_k, A_k et a_k^o déjà choisis pour chaque $k < i$. Le vecteur a_i est choisi dans un sous-espace de codimension finie (<u>qui est donc non vide</u>)

$$a_i \in \bigcap_{k=1}^{i-1} [A_k^\perp \cap (\bigcap_{j=1}^{N} (f_1(s_j))^{-1} (A_k^\perp)]$$

d'où l'on a que: $a_i \in A_k^\perp$ $k < i$ et $a_i \in (f_1(s_j))^{-1}(A_k^\perp)$ c'est-à-dire

$f_1(s_j)(a_i) \perp A_k \quad k < i, \quad j = 1, \ldots N.$

A_i est alors choisi comme le sous-espace de H de dimension $N+2$ contenant a_i, $f_1(s_j)(a_i)$ $j = 1, \ldots N$, et A_i est orthogonal à A_k pour $k < i$. a_i^o est un vecteur unitaire dans A_i orthogonal à a_i et à $f_1(s_j)(a_i)$ $j = 1, \ldots N$.

Nous définirons une homotopie telle que $f_2(s)(a_i)$ a la même direction que a_i et $f_3(s)(a_i) = a_i$ pour $i = 1, 2, \ldots$

Soit $C \geq 1$ un nombre réel tel que $\|f_1(s)\| \leq C$ et $\|f_1(s)^{-1}\| \leq C$ pour tout $s \in S$.

Considérons le sous-espace A_i <u>pour un i fixé.</u>

$f_1(s)(a_i) \in A_i$ et $\frac{1}{C} \leq |f_1(s)(a_i)| \leq C$

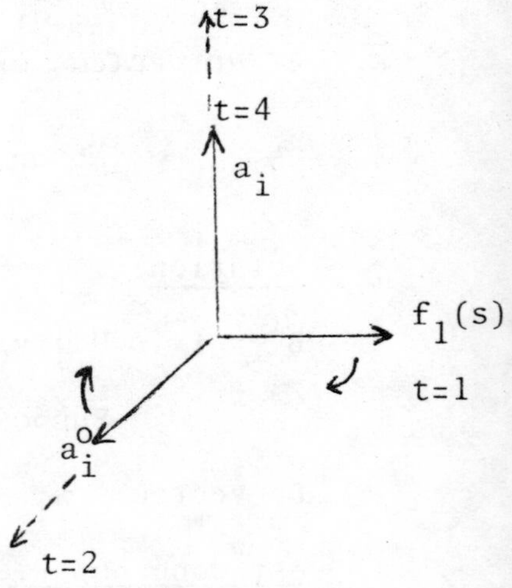

Nous ferons une rotation du vecteur $f_1(s)(a_i)$ dans le plan des deux vecteurs orthogonaux $f_1(s)(a_i)$ et a_i^o jusqu'à ce que $f_1(s)(a_i)$ vienne en position $|f_1(s)(a_i)| \cdot a_i^o$. Pendant la rotation les vecteurs perpendiculaires au plan de rotation restent fixes.

Puis de $t = 2$ à $t = 3$, nous faisons une rotation dans le plan de a_i^o et a_i pour amener a_i^o à la place de a_i; une fois de plus les vecteurs perpendiculaires à ce plan restent fixes. Finalement, on change les longueurs de 3 à 4 pour qu'en $t = 4$

$f_4(s)(a_i) = a_i$. L'homotopie est la suivante:

$$0 \le t \le 1 \quad \begin{cases} k_i(s,t)(f_1(s)(a_i) = (\cos \frac{\pi}{2}t)(f_1(s)(a_i)) + (\sin \frac{\pi}{2}t)(|f_1(s)(a_i)|a_i^o) \\ k_i(s,t)(|f_1(s)(a_i)|)a_i^o = -(\sin\frac{\pi t}{2})(f_1(s)(a_i) + (\cos \frac{\pi t}{2})(|f_1(s)(a_i)|a_i^o) \\ k_i(s,t)(x) = x \quad \text{pour } x \in A_i \text{ et } x \perp f_1(s)a_i \text{ et } x \perp a_i^o \end{cases}$$

$$1 \le t \le 2 \quad \begin{cases} k_i(s,t)k_i^{-1}(s,1)(a_i^o) = \cos \frac{\pi}{2}(t-1).a_i^o + \sin\frac{\pi}{2}(t-1)\,a_i \\ k_i(s,t)k_i^{-1}(s,1)(a_i) = -\sin (\frac{\pi}{2}(t-1).a_i^o + \cos \frac{\pi}{2}(t-1).a_i \\ k_i(s,t)k_i^{-1}(s,1)(x) = x \quad \text{pour } x \in A_i \text{ et } x \perp a_i^o \quad x \perp a_i \end{cases}$$

Notons que $\underline{\underline{k_i(s,2)(f_1(s)(a_i)) = (|f_1(s)(a_i)|)\ a_i}}$

Lemme 4.3.

$k_i(s,t)$ *est continue en* s *et* t, *uniformément en* i.

Démonstration. $\|f_1(s)\| \le C$ et $\|f_1(s')\| \le C$ et $t, t' \in [0, 1]$ (1)

$$\|k_i(s',t') - k_i(s,t)\| \le \|k_i(s',t') - k_i(s',t)\| + \|k_i(s',t) - k_i(s_1(t)\| \quad (2)$$

$$= \|k_i(s't')k_i^{-1}(s',t)-1\| + \|k_i(s',t).k_i^{-1}(s,t)-1\| \quad (3)$$

puisque les transformations orthogonales $k_i(s,t)$ préservent la norme sous la multiplication.

Pour t et t' dans [0, 1] ou les deux dans [1, 2] $k_i(s',t').k_i^{-1}(s',t)$ est une rotation de A_i, ayant pour axe un sous-espace de dimension N, d'un angle de $\frac{\pi}{2}(|t'-t|)$, d'où il s'ensuit de la géométrie plane que le premier terme de (3) est $\leq \frac{\pi}{2}(|t'-t|)$. (4)

Le deuxième terme de (3) est constant si $1 \leq t \leq 2$, on peut se restreindre à $0 \leq t \leq 1$.

$f_1(s)(a_i)$ et $f_1(s')(a_i)$ sont orthogonaux à a_i^o, et si l'angle entre les deux est α il s'ensuit à cause de (1)

$$|f_1(s')(a_i)| \geq C^{-1} \quad \text{et} \quad |f_1(s)(a_i)| \geq C^{-1}$$

$$|f_1(s')(a_i) - f_1(s)(a_i)| \geq C^{-1}\, 2.\, \sin \tfrac{1}{2}\alpha \tag{5}$$

(résultat de la géométrie plane).

Si $\alpha = 0$ on a $f_1(s)(a_i) = f_2(s)(a_i)$ et alors le deuxième terme de (3) est nul. Supposons donc $\alpha \neq 0$. Dans ce cas $f_1(s')(a_i)$ et $f_1(s)(a_i)$ engendrent avec a_i^o un sous-espace E de dimension 3. $k_i(s',t)k_i^{-1}(s,t)$ laisse tout vecteur orthogonal à E fixe. Dans E elle représente une rotation qui peut être décrite comme la composition d'une rotation d'un angle de valeur absolue α autour de l'axe fixe a_i^o suivie d'une rotation d'un angle de valeur absolue α au-dessus de vecteur fixe,

$$|f_1(s')(a_i)\ |(\cos \tfrac{\pi t}{2})\, a_i^o - (\sin \tfrac{\pi t}{2})\, f_1(s')(a_i)$$

d'où puisque la norme d'une rotation sur un angle α est $2 \sin \frac{1}{2}\alpha$.

$$\|k_i(s',t)\ k_i^{-1}(s,t) - 1\| \leq 2.2 \sin \tfrac{1}{2}\alpha \tag{6}$$

De plus, par la définition de la norme

$$|f_1(s')(a_i) - f_1(s)(a_i)| \leq \|f_1(s')-f_1(s)\| \tag{7}$$

De (5), (6) et (7) nous obtenons:

$$\|k_i(s',t)\, k_i^{-1}(s,t) - 1\| \le 2\, C\, \|f_1(s') - f_1(s)\| \qquad (8)$$

En remplaçant (8) et (4) dans (2) et (3), nous avons finalement

$$\|k_i(s',t') - k_i(s,t)\| \le \pi(|t'-t|) + 2C(\|f_1(s)-f_1(s')\|)$$

d'où le lemme 4.3. car f_1 est continue.

Soit $k(s,t) \in GL(H)$ la transformation orthogonale suivante:

$$\begin{matrix} 0 \le t \le 2 \\ s \in S \end{matrix} \quad \begin{cases} (k(s,t) \mid A_i) = k_i(s,t) & \\ k(s,t)(x) = x & \text{si } x \perp A_i \text{ pour tout } i . \end{cases}$$

Lemme 4.4.

$k(s,t)$ *est continue en* s *et* t.

Preuve. Etant donné $x \in H$, soit x_{A_i} la composante orthogonale de x dans A_i

$$\begin{aligned} |(k(s',t')-k(s,t))(x)| &= \Big|\sum_{i=1}^{\infty} [k(s',t') - k(s,t)]x_{A_i}\Big| \\ &= \Big|\sum_{i=1}^{\infty} [k_i(s',t') - k_i(s,t)]\, x_{A_i}\Big| \\ &= \sqrt{\{ \sum_{i=1}^{\infty} [k_i(s',t') - k_i(s,t)]\, x_{A_i}]^2 \}} \\ &\le \sqrt{\{ \sum_{i=1}^{\infty} [(\pi(|t'-t|) + 2C(\|f_1(s')-f_1(s)\|)]\, x_{A_i})^2 \}} \\ &\le [\pi(|t'-t|) + 2C(f_1(s') - f_1(s)]\, |x|. \end{aligned}$$

d'où $\|k(s',t') - k(s,t)\| \leq \pi(|t'-t|) + 2C \|f_1(s') - f_1(s)\|$.

Le lemme 4.4. est donc démontré.

Notons que $k(s, 0) = 1$ et $k(s, 2)((f_1(s)(a_i)) = |f_1(s)(a_i)|\cdot a_i$.

Définissons l'homotopie $f_t(s) = k(s , t-1) f_1(s)$ $1 \leq t \leq 3$, en t= 1 $k(s,0) = 1 \in GL$ par conséquent f_1 est bien l'application donnée, en

$t = 3$ $f_3(s)(a_i) = k(s, 2) f_1(s)(a_i)$

$= |f_1(s)(a_i)|\cdot a_i$

Soit H' le sous-espace fermé de H dont la base orthonormale est $a_1, a_2, \ldots$ et notons

(i) $H_1 = (H')^{\perp}$ le complément orthogonal de H'.

(ii) p' et p_1 les projections orthogonales de H sur H' et H_1 respectivement.

L'homotopie f_t est prolongée de la façon suivante:

$$f_t(s) = [(4-t) f_3(s) + (t-3)]p' + f_3(s) \cdot p_1$$

en $t = 3$ $f_t(s) = f_3(s)(p' + p_1) = f_3(s)$

en $t = 4$ $f_4(s) = p' + f_3(s)p_1$ c'est-à-dire $f_4(s)(a_i) = a_i$

$f_3(s)(x) = x$ pour $x \in H'$

<u>Ceci démontre le lemme 4.2.</u>

<u>Maintenant</u> posons $f_5(s) = p' \oplus p_1 f_4(s) p_1$

$f_5(s) \in GL$ et $f_5(s)(x) = x$ si $x \in H'$

$\in H_1$ si $x \in H_1$

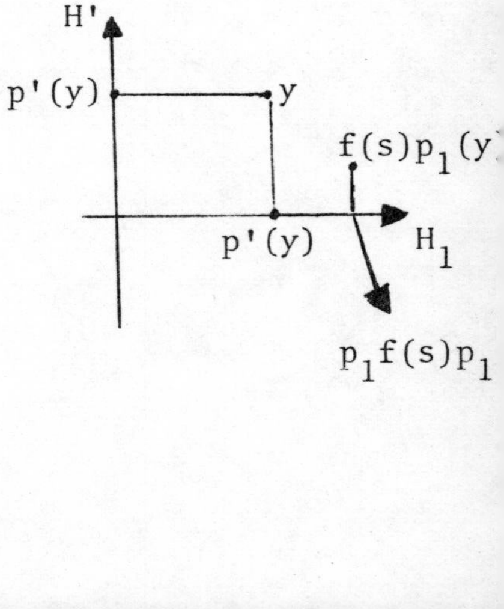

$f_t(s) = (5-t)f_4(s) + (t-4)f_5(s) \qquad 4 \le t \le 5$

D'après la deuxième étape ceci démontre que f_1 est homotope à l'identité, d'où $\pi_k(GL(H)) = 0$ pour tout k. Mais $GL(H)$, étant un ouvert de End. H, est un ANR d'où $GL(H)$ est dominé par un CW. complexe. L'application triviale de $GL(H)$ sur un point induit un isomorphisme des groupes d'homotopie et alors c'est une équivalence d'homotopie d'après un théorème de J.H.C. Whitehead. (voir aussi Palais [6].) Nous pouvons donc conclure que $GL(H)$ est contractile.

Remarques. La preuve de cette partie a été généralisée par Neubauer dans le cas ℓ_p (voir [25]) et Arlt [20] dans le cas c_o. Nous venons d'apprendre que Edelstein, Mitjagin et Semenov [29] ont démontré la contractibilité de $C_{(0,1)}$ et de L_1. La même chose est vraie pour L_p $1 < p < \infty$.

Quatrième étape. *Si H n'est pas séparable.*

Si $f: S \to H$. Après une homotopie on peut supposer que $f(s)$ est unitaire pour tout $s \in S$ (voir chapitre 5).

Soit $s_i \in S$-(compact), et $\{s_i\}$ partout dense dans S. Posons $f_i = f(s_i)$ (une transformation unitaire).

Pour un $v \neq 0$ $v \in H$, il existe un sous-espace invariant fermé et séparable H_v engendré par les éléments

$$(\prod_{j=1}^{N} g_j).v \qquad g_j = f(s_i) \text{ ou } f(s_i)^{-1} \text{ pour un certain } i, \text{ et } N \ge 0 .$$

Soit V un ensemble de sous-espaces séparables et invariants mutuellement orthogonaux, chacun étant la somme directe de deux sous-espaces orthogonaux, invariants et séparables. Soit W l'ensemble de tous les V; W est donc partiellement ordonné par inclusion. Par le "Hausdorff maximal principle" W contient une chaîne maximale M. [Voir J. Kelley General Topology, page 32]. L'union des ensembles dans M est un ensemble V de W; et les éléments de V engendrent un espace d'Hilbert $\alpha(V)$ dans H.

$$\alpha(V) = \{\sum \mathbf{a}_v + b_w \mid \sum |a_v|^2 + \sum |b_w|^2 < \infty\} .$$

$$a_v \in V \quad \text{et} \quad b_w \in W \quad (v,w) \in V$$

(v,w) étant une paire de sous-espaces (orthogonaux et invariants) de H.

Soit $\beta(V)$ le complément orthogonal de $\alpha(V)$ dans H. Si $\beta(V)$ est séparable (e.g. de dimension finie), alors on l'incorpore dans un élément d'une paire dans V. Si $\beta(V)$ est non séparable, on trouve une paire de sous-espaces dans (V) qui sont invariants et séparables. Donc on peut agrandir l'ensemble V, ce qui contredit les hypothèses. D'où $\alpha(V) = H = H' + H''$ où H' est le sous-espace fermé engendré par les premières composantes des paires dans V et H'' est son complément orthogonal.

H' et H'' sont invariants sous $f(s) = \begin{pmatrix} a & o \\ o & b \end{pmatrix} = \begin{pmatrix} a & o \\ o & 1 \end{pmatrix} \begin{pmatrix} 1 & o \\ o & b \end{pmatrix}$

et on applique les mêmes méthodes pour avoir des homotopies de

$\begin{pmatrix} a & o \\ o & 1 \end{pmatrix}$ et $\begin{pmatrix} 1 & o \\ o & b \end{pmatrix}$ à $\begin{pmatrix} 1 & o \\ o & 1 \end{pmatrix}$. Ce qui complète la preuve.

[M. Breuer a donné une autre généralisation du théorème de ce chapitre.

M. Breuer: A generalisation of Kuiper's theorem to factors of type II_∞. Journal of Math. and Mechanics 16 (1967) 917-926.

M. Breuer: Homotopy triviality of the group of regular elements of Von Neumann algebras of type I , II . Univ. of Kansas, Dept. of Math. Technical report 15 (New series).]

5. *Corollaires et applications du théorème de contraction de* GL(H).

§5.1. *$\mathcal{U}$ le groupe unitaire d'un espace d'Hilbert* H *est contractile.*

Soit $\mathcal{U} = \{h \in GL(H) \mid |h(x)| = |x| \ \forall x \in H\}$. $\mathcal{U}$ est un sous-groupe de GL(H) = GL.

Lemme 5.1.

$\mathcal{U}$ est un rétract de GL.

Démonstration. Si $f \in GL(GL_{\mathbb{R}}, GL_{\mathbb{C}}$ ou $GL_{\mathbb{H}})$, notons par $f^* \in GL$ l'adjoint de f défini par $(f^*(x))(y) = x(fy)$ pour $x, y \in H$. $(f^*fx)(x) = (f(x))(f(x)) > 0$ si $x \neq 0$.

Si $f \in GL$, définissons $\sqrt{(f^*f)}$ ainsi:

soient $g_1 = 1 \in GL$ et $g_{n+1} = \frac{1}{2}(g_n + g_n^{-1}(f^*f))$

$$\sqrt{(f^*f)} = \lim_{n\to\infty} g_n = g.$$

Notons que $g = \frac{1}{2}(g + g^{-1}(f^*f))$ d'où $g^2 = f^*f$.

La rétraction $\tau\colon GL \to \mathcal{U}$ est donnée par $\tau(f) = f(\sqrt{(f^*f)})^{-1}$

(i) Si $f \in GL$ $(\tau(f)(x))(\tau(f)(x)) = [\tau(f)]^*(\tau(f)(x))(x)$

$$= (f^*f)^{-\frac{1}{2}} f^*f\,(f^*f)^{-\frac{1}{2}} x.x = x.x$$

quel que soit $x \in H$, d'où $\tau(f) \in \mathcal{U}$.

(ii) Si $f \in \mathcal{U}$ alors $f^*f = 1 \in GL$ d'où $\tau(f) = f$.
Ainsi τ est une rétraction.

Il existe même une rétraction par déformation h_t,

où $h_t(f) = tf + (1-t)\ \tau(f), \qquad 0 \le t \le 1$

$= tf + (1-t)\ fg^{-1}$.

Il suffit de démontrer que $h_t(f) \in GL$, car $h_o = I_{GL}$ et $h_1 = \tau$.

Il existe une base orthogonale de vecteurs propres telle que f^*f est diagonale; et chaque vecteur propre de f^*f correspondant à une valeur propre positive est un vecteur propre de g.

Donc g est inversible, et aussi $g + \varepsilon$ est inversible pour $\varepsilon > 0$.

Ainsi $\frac{1}{t}\, gf^{-1}.\ h_t(f) = g + \frac{1-t}{t}$ est inversible, d'où $h_t(f)$ est inversible; et $h_t(f) \in GL$.

Par conséquent le lemme est démontré.

Pour conclure que $\mathcal{U}$ est contractile, soit $\phi_t\colon GL \to GL$ la contraction donnée au chapitre 4, alors $\tau.\phi_t$ est la contraction de U.

<u>§5.2.</u> (i) *Tout H-fibré au-dessus d'une variété est trivial*, donc toute variété hilbertienne est parallélisable car le fibré tangent est un H-fibré.

(ii) X *une variété hilbertienne, alors* X x H *est difféomorphe à un ouvert de* H.

Démonstration. Soit $f: X \to H$ un plongement fermé (Voir le théorème de plongement.) On peut supposer que c'est de codimension infinie car sinon il suffit de prendre $H \simeq H \times 0 \subset H \times H = H$.

Prenons un voisinage tubulaire (Lang [4]) c'est un fibré trivial d'où $X \times H \underset{\text{ouvert}}{\subset} H$.

Remarque: Dans la construction de la trivialisation du fibré tubulaire,utiliser des fonctions C^{∞} pour que le plongement ouvert de $X \times H$ dans H soit C^{∞}.

§5.3. *Applications à la K-théorie.*

Pour plus de détails sur cette section voir Atiyah [27] et Jänich [28].

H un espace d'Hilbert.

Soit $\Lambda = \{f: H \to H \mid \dim \ker f < \infty \text{ et } \dim \operatorname{coker} f < \infty\}$

= *l'espace des opérateurs de Fredholm de* H *dans* H *muni de la topologie de la norme.*

Soit X un espace compact. Si $f: X \to \Lambda$ est une application continue alors il existe un sous-espace fermé $V \subset H$, de codimension finie tel que $V \cap \operatorname{Ker}(f(x)) = 0$ pour tout $x \in X$. De plus pour chaque choix d'un tel V on a que $\left(\bigcup_{x \in X} H/f_x(V) \right)$ est un fibré vectoriel sur X, $\bigcup_{x \in X} H/f_x(V)$ étant considéré comme quotient de l'espace topologique $X \times H$.

Ainsi, à chaque application $f: X \to \Lambda$, on peut associer deux fibrés vectoriels de dimension finie. H/V et $(\bigcup_{x \in X} H/f_x(V))$ c'est-à-dire un élément de $K(X)$.

On démontre que cet élément est indépendant du choix de V pourvu que V satisfasse la condition $V \cap \ker f(x) = 0$. De plus, si g est homotope à f, g détermine le même élément de $K(X)$ que f. On a donc une application

$$\left\{\begin{array}{l}\text{l'ensemble des classes}\\ \text{d'homotopies d'applica-}\\ \text{tions de X dans } \Lambda\end{array}\right\} = [X, \Lambda] \to K(X)$$

Dans $K(X)$ on a deux opérations:

(i) Somme directe $\oplus$

(ii) Produit tensoriel $\otimes$

D'autre part, $[X,\Lambda]$ est muni des opérations (i) composition $f: X \to \Lambda$, $g: X \to \Lambda$ $g \circ f(x) = g(x) \circ f(x)$, (ii) une deuxième opération $\otimes$ (voir Jänich [28]).

Le théorème d'Atiyah-Jänich affirme que la suite

$[X, GL(H)] \to [X,\Lambda] \to K(X) \to 0$ est exacte. Puisque $GL(H)$ est contractile, on a que l'application $[X, \Lambda] \to K(X)$ est bijective. Plus précisément c'est un isomorphisme d'anneaux. (Voir Jänich [28]).

§5.4. *Quelques remarques sur les groupes de Lie.*

Dans le cas d'un groupe de Lie de dimension finie G et d'un sous-groupe invariant H de G les résultats suivants sont connus:

$$H \to G \to G/H .$$

a') $\pi_1(G) = 0 \Rightarrow \pi_1(H) = 0$.

b') $\pi_2(G) = 0$ E. Cartan.

c') $\pi_1(G) = 0 \Rightarrow \pi_1(G/H) = 0$.

d') $H_3(G, R) = \mathbb{R}$ (Koszul), si G est simple.

e') $\pi_1(G) = 0 \Rightarrow H$ est un sous-groupe fermé.

f') le foncteur qui assigne à chaque groupe de Lie son algèbre de Lie est surjectif. En particulier à chaque $\mathbb{R}$-algèbre de Lie, extension d'une algèbre du groupe de Lie G, donne lieu à une extension du groupe de Lie G.

Théorème 5.1. (W.T. Van Est-A. Douady)

Tous ces théorèmes sont faux dans le cas de groupes topologiques de dimension infinie.

Démonstration. Considérons la suite $H \to G \to G/H$, la suite de groupes d'homotopie:

(*) $\pi_2(H) \to \pi_2(G) \to \pi_2(G/H) \to \pi_1(H) \to \pi_1(G) \to \pi_1(G/H) \to \pi_o(H) \to \pi_o(G)$

a) Si on pose $GL = GL_{\mathbb{C}}$, $\mathbb{H} = \mathbb{C} - \{0\}$ les scalaires de $GL_{\mathbb{C}}$

$\pi_1(G) = 0$ mais $\pi_1(H) = \mathbb{Z}$, donc a') est faux.

b) Dans la suite (*), si on pose $G = GL_{\mathbb{C}}$ et $H = \mathbb{C} - \{0\}$ alors

$$\begin{array}{ccccccc} \pi_2(G) & \to & \pi_2(G/H) & \to & \pi_1(H) & \to & \pi_1(G) \\ \| & & & & \| & & \| \\ 0 & \to & ? & \to & \mathbb{Z} & & 0 \end{array}$$

donc $\pi_2(G/H) = \mathbb{Z}$ d'où b') est faux pour $G = GL_{\mathbb{C}}/\ \mathbb{C} - \{0\}$.

c) Si $G = GL_{\mathbb{R}}$
$H = \mathbb{R} - \{0\}$ on a $\pi_o(H) = \mathbb{Z}_2 \quad \pi_o(G) = 0 = \pi_1(G)$

Dans (*) on obtient

$$\begin{array}{ccccccc} \pi_1(G) & \to & \pi_1(G/H) & \to & \pi_o(H) & \to & \pi_o(G) \\ \| & & & & \| & & \| \\ 0 & & & & \mathbb{Z}_2 & & 0 \end{array}$$

donc $\pi_1(G/H) = \mathbb{Z}_2$ dans ce cas; ainsi c') est faux.

d) Si $G = GL$. $H_3(G) = 0$ donc d') est faux.

e) Posons $U = U_{\mathbb{C}} \subset GL_{\mathbb{C}}(H)$, U est contractile, donc $U \times U$ est contractile aussi.

Dans U nous avons les multiplications scalaires $e^{i2\pi\phi}$ où $e^{i2\pi\phi}(x) = e^{i2\pi\phi} \cdot x$.
L'ensemble des éléments de ce type est noté S^1.

$$G = U \times U \supsetneq S' \times S' = \mathbb{R}/\mathbb{Z} \times \mathbb{R}/\mathbb{Z} .$$

Dans $\mathbb{R}/\mathbb{Z} \times \mathbb{R}/\mathbb{Z}$ on a le sous-groupe $R = \{(\phi, \sqrt{2}\cdot\phi) \mid \phi \in \mathbb{R}\}/\mathbb{Z} \times \mathbb{Z}$.

R est un sous-groupe invariant mais n'est pas fermé dans $U \times U$, puisque R est dense dans le tore $T = \mathbb{R}/\mathbb{Z} \times \mathbb{R}/\mathbb{Z}$ mais $R \neq \mathbb{R}/\mathbb{Z} \times \mathbb{R}/\mathbb{Z}$.

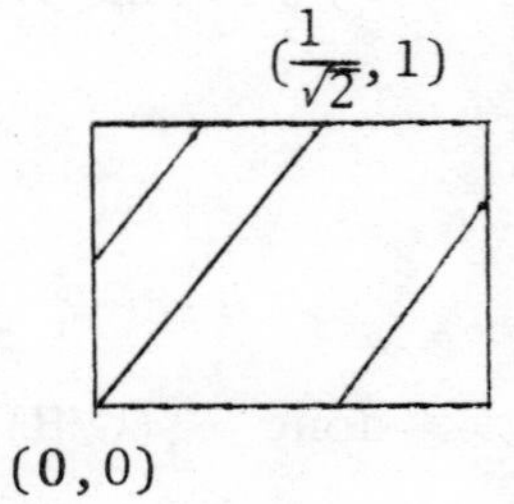

f) On avait (voir e) les groupes
$R \overset{\subsetneq}{\to} T \overset{\subsetneq}{\to} U \times U$ et les algèbres de Lie (avec quotient $\underline{G}$) $\underline{R} \overset{\beta}{\to} \underline{U \times U} \overset{\alpha}{\to} \underline{G} \to 0$. Supposons qu'on

peut relever et obtenir un groupe G avec algèbre $\underline{G}$

$$\mathbb{R} \xrightarrow{B} U \times U \overset{A}{\dashrightarrow} G$$

Comme $U \times U$ est simplement connexe, on peut trouver A et $\mathrm{Im}\, B \subset \mathrm{Ker}\, A$, $\mathrm{Im}\, B$ est dense dans T. Alors $T \subset \mathrm{Ker}\, A$. Mais alors $\mathrm{Ker}\, \alpha$ contient l'algèbre $\underline{\mathbb{R}} \times \underline{\mathbb{R}}$ de T. Ce qui est une contradiction.

§5.5. *Un espace de Banach dont le groupe linéaire n'est pas connexe. (A. Douady [22]).*

Soit $c_o = \{x = (x_1, x_2, \ldots) \mid x_i \in \mathbb{R}$ et $\lim_{i\to\infty} x_i = 0\}$. Muni de la norme $|x|_{c_o} = \sup_i |x_i|$, c_o est un espace de Banach avec une base $e_j = (\delta_{1j}, \delta_{2j}, \ldots)$ $j = 1,2,3,\ldots$ $\delta_{ij} = \begin{cases} 0 & \text{si } i \neq j \\ 1 & \text{si } i = j \end{cases}$.

Soit $\ell_2 = \{x = (x_1, x_2, \ldots) \mid x_i \in \mathbb{R}$ et $\sum x_i^2 < \infty\}$.

ℓ_2 est un espace d'Hilbert, et une base de ℓ_2 est $e_j' = (\delta_{1j}, \delta_{2j}, \ldots)$ $j = 1, 2, \ldots$

Dans ℓ_2 la norme est $|x|_{\ell_2} = \sqrt{(\sum_1^\infty x_i^2)}$.

L'application $f\colon \ell_2 \to c_o$ donnée par $f(e_j') = e_j$ n'est pas compacte puisque l'image de la boule unité de ℓ_2 contient la suite $\{e_j\}_{j=1,2,\ldots}$ qui n'a pas de point d'accumulation.

Néanmoins, dans l'autre direction nous avons le lemme suivant:

Lemme 5.2.

Tout opérateur linéaire $f\colon c_o \to \ell_2$ *est compact, donc*

$L(c_o,\ell_2) = L_c(c_o,\ell_2)$ *(cette notation est utilisée dans la suite de cette section).*

La démonstration sera donnée après le lemme 5.3. suivant:

Soit $c_o \supset D = \{x \mid |x|_{c_o} \leq 1\} = D^n + D_n$ où

$$D^n = \{x \in D \mid x_i = 0 \quad i > n\}$$

$$D_n = \{x \in D \mid x_i = 0 \quad i \leq n\}.$$

<u>Lemme 5.3.</u>

Soit $f: c_o \to \ell_2$ *un opérateur linéaire. Si* f *n'est pas compact il existe* $\delta > 0$ *et deux suites de nombres* $n_1 < n_2 < \dots$; $N_1 < N_2 < \dots$ *ainsi qu'une suite de points* $x^{(i)} \in D$ *tels que* $x^{(i)} \in D^{n_{i+1}} \cap D_{n_i}$ *(c'est-à-dire* $x^{(i)} = (o,o,\dots,\underset{\uparrow\, n_i+1}{*},\dots\underset{\uparrow\, n_{i+1}}{*},o,o\dots)$ *)*
avec $|(f(x^{(i)}))_{N_i}| > \delta$.

<u>Démonstration.</u> Supposons que f n'est pas compact, alors il existe un $\delta > 0$ tel que pour tout n, il existe un $N \geq n$ et un $x \in D$ tel que $|(f(x))_N| > 3\delta$ .... (*)

La construction des suites se fait par récurrence.

Prenons n_1 arbitraire (par exemple $n_1 = 1$ est permis). Considérons $f \mid D^{n_1}: D^{n_1} \to \ell_2$; cette application est de rang fini. Il existe donc N' tel que

$$|(f(x))_{M_1}| < \infty \qquad \text{pour tout } x \in D^{n_1} \text{ et } M_1 \geq N' .$$

D'autre part, d'après (*) il existe

$$N_1 \geq N' \text{ et } x \in D \quad \text{tel que } |(f(x))_{N_1}| > 3\delta.$$

Supposons $x = (x_1, x_2, \ldots)$

$= x'' + x'$ où $x'' = (x_1, x_2, \ldots x_{n_1}, o, o, \ldots) \in D^{n_1}$

d'où $x' = x - x'' = (o, o, \ldots, x_{n_1+1}, \ldots) \in D_{n_1}$.

Puisque $x'' \in D^{n_1}$ on a que $|f(x'')_{N_1}| < \delta$

d'où $|(f(x'))_{N_1}| \geq 3\delta - \delta = 2\delta$.

Nous avons donc un élément $x' \in D_{n_1} \subset c_o$ et $|(f(x'))_{N_1}| > 2\delta$

f étant continue en x', il existe $\varepsilon > 0$ tel que si

$$|x' - y| < \varepsilon \quad \text{on a } |(f(x') - f(y))_{N_1}| < \delta.$$

Choisissons n_2 tel que $|x_j| < \varepsilon$ pour $j \geq n_2$, ceci est possible puisque $x_i \to 0$.

L'élément $x^{(1)}$ cherché est alors $\{x' - (o, o, \ldots, x_{n_2}, x_{n_2+1}, \ldots)\}$

$x^{(1)} \in D_{n_1} \cap D^{n_1}$

$|x' - x^{(1)}| = |(o, o, \ldots, x_{n_2}, x_{n_2+1}, \ldots)| < \varepsilon$ d'où $|(f(x') - f(x^{(1)}))_{N_1}| < \delta$

$$\text{mais } |(f(x^{(1)}))_{N_1}| \geq |(f(x'))_{N_1}| - |(f(x') - f(x^{(1)}))_{N_1}|$$

$$\geq 2\delta - \delta = \delta$$

Si n_i, N_{i-1} et x^{i-1} sont déjà choisis, on procède de la même façon que ci-haut pour choisir n_{i+1}, N_i et x^i.

Le lemme est donc démontré.

Démonstration du lemme 5.2.: Si $f\colon c_o \to \ell_2$ n'est pas compact, soit $x^{(i)}$ la suite construite au lemme 5.

Posons $x = \sum_i x^{(i)}$.

$x \in D$ car $|x|_{c_o} = \sup_i |x_i|$ puisque si $(x^{(i)})_j \neq 0$ alors $(x^{(k)})_j = 0$ pour $k \neq i$

$$= \sup_j |x^{(j)}|$$

$$\leq 1 .$$

$f(x) = \sum_i f(x^{(i)}) \geq \sum_1^{\infty} \delta^2 = \infty$ d'où $f(x) \notin \ell_2$. On a une contradiction ainsi on conclut que f est compact.

Soient A et B deux espaces de Banach. $L(A,B)$ dénotera l'espace des opérateurs de A dans B; $L_c(A,B)$ l'espace des opérateurs compacts de A dans B. C'est un sous-espace fermé de $L(A,B)$ invariant par rapport à $L(A,A)$ (opérant à gauche) et à $L(B,B)$ (opérant à droite).

Posons $L'(A,B) = L(A,B)/L_c(A,B)$. C'est un espace de Banach avec norme $\|f'\| = \inf_{g \in L_c(A,B)} \|f+g\|$, où $f' = f + L_c(A,B)$ désigne la classe d'équivalence de f. $f \in L(A,B)$ et $\|f\|$ est la norme de f dans $L(A,B)$. On a la suite exacte d'espaces de Banach.

$$L_c(A,B) \to L(A,B) \xrightarrow{p} L'(A,B) \to 0.$$

Posons $A = B = E$. Alors on obtient l'anneau $L(E,E)$ avec l'*idéal* $L_c(E,E)$

et l'algèbre de Banach quotient L'(E,E).

Soient GL(E) le groupe d'éléments inversibles de L(E,E) et GL'(E) le groupe d'éléments inversibles de L'(E,E). On a la projection

$$\begin{array}{ccc} L(E,E) & \xrightarrow{p} & L'(E,E) \\ \cup & & \cup \\ GL(E) & \dashrightarrow & GL'(E) \end{array}$$

Définition 5.1. Soit $T \in L(E,E)$ un opérateur linéaire alors on dit que T est un *opérateur de Fredholm* si

1) ker T est de dimension finie
2) coker T est aussi de dimension finie.

Notons par $\Lambda(E)$ les opérateurs de Fredholm de E dans E, et si $f \in \Lambda(E)$ posons *indice de* **f** = ind f = dim. ker f - dim coker f.

Lemme 5.4.

$$p^{-1}(GL'(E)) = \Lambda(E).$$

Preuve. Si $f \in L(E,E)$ et $p(f) \in GL'(E)$ alors il existe $g \in L(E,E)$ tel que $(pf)(pg) = (pg)(pf) = 1' \in GL'(E)$. Alors $gf - 1 = c$ est compact donc $gf - 1 \in L_c(E,E)$; d'où $Im(gf) = Im(1+c)$ est de codimension finie. La même chose vaut pour Im g qui contient Im gf. Egalement pour Im f.

$$\ker f \subset \ker gf = \ker(1+c) \text{ est de dimension finie.}$$

D'où l'on conclut que f et g sont des opérateurs de Fredholm.

Considérons maintenant le cas $E = F \oplus G = c_o \oplus \ell_2$.

$$L(F,G) = L_c(F,G) \text{ donc } L'(F,G) = 0.$$

Pour $\sigma = \begin{pmatrix} a & b \\ c & d \end{pmatrix} \in GL(E)$ $\quad$ $a \in L(F,F)$, $b \in L(G,F)$, $c \in L(F,G)$, $d \in L(G,G)$.

on trouve $\sigma' = \begin{pmatrix} a' & b' \\ c' & d' \end{pmatrix} = \begin{pmatrix} a' & b' \\ o & d' \end{pmatrix} \in GL'(E)$

L'inverse de σ' sera $\begin{pmatrix} q' & r' \\ o & s' \end{pmatrix}$ et $\begin{pmatrix} q' & r' \\ o & s' \end{pmatrix} \begin{pmatrix} a' & b' \\ o & d' \end{pmatrix} = \begin{pmatrix} q'a' & \ldots \\ \ldots & s'd' \end{pmatrix} = 1^1 \in GL$

Alors a' a un inverse q' dans $GL'(F)$ et d' a un inverse s' dans $GL'(G)$.

Par conséquent $a \in p^{-1}(a')$ est un opérateur de Fredholm
$d \in p^{-1}(d')$ est un opérateur de Fredholm.

L'indice de $\sigma \in GL(E)$ est zéro et on a une homotopie dans $\Lambda(E)$

$\begin{pmatrix} a & b \\ (1-t)c & d \end{pmatrix}$ qui préserve l'indice.

Pour $t = 1$ on a $\begin{pmatrix} a & b \\ o & d \end{pmatrix}$ qui est aussi d'indice 0.

Au moyen d'une autre homotopie $\begin{pmatrix} a & (1-t)b \\ o & d \end{pmatrix}$ on obtient que $0 = \text{ind}(\sigma) = \text{ind} \begin{pmatrix} a & b \\ o & d \end{pmatrix} = \text{ind} \begin{pmatrix} a & o \\ o & d \end{pmatrix} = \text{ind } a + \text{ind } b.$

Comme on peut choisir $i(a) \in \mathbb{Z}$ arbitrairement alors $GL(c_o \oplus \ell_2)$ a des composantes distinctes indiquées par $i(a)$ et il n'est donc pas contractile.

Considérons maintenant une famille $\{\sigma_x \mid x \in X\}$ d'éléments de $GL(E)$ pour un X compact.

Alors on a des résultats analogues

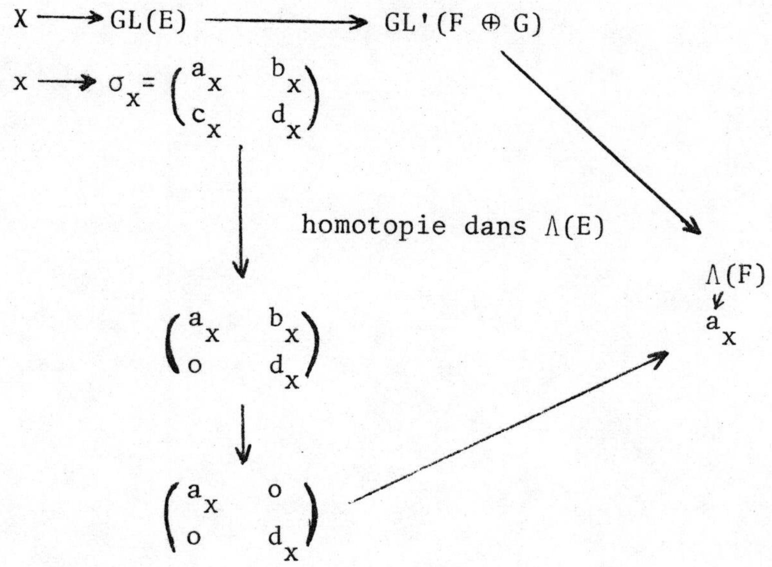

conséquemment l'application $GL(E) \to \Lambda(F)$ induit un homomorphisme

$$\pi_k(GL(E)) \to \pi_k(\Lambda(F)) \quad .$$

Pour le cas $F = c_o$ $G = \ell_2$ on trouve que cet homomorphisme est surjectif et injectif, donc un isomorphisme.

$GL(E) \to \Lambda(F)$ est donc une équivalence d'homotopie et de plus $\pi_k(GL(c_o \oplus \ell_2) \simeq \pi_k(\Lambda(c_o)) \simeq \pi_k(\Lambda(\ell_2)) \simeq \pi_k(BO)$, $\pi_k(BO)$ pour $k \geq 0$.

Il existe une équivalence d'homotopie $GL(c_o \oplus \ell_2) \to BO \times \mathbf{Z}$ ce qui entraîne que $GL(c_o \oplus \ell_2)$ n'est pas contractile.

6. *Isotopie ambiante des voisinages tubulaires*.

Dans ce chapitre, nous ne considérerons que des variétés de classe C^∞ modelées sur un espace d'Hilbert de dimension finie ou infinie. Soit X une sous-variété de la variété Y et soit $\pi\colon E \to X$ un fibré hilbertien. Dénotons par $E(r)$ l'espace total du fibré dont la fibre en chaque point est une boule fermée de rayon r.

Définition 6.1. Soit X une sous-variété de Y, alors *un voisinage tubulaire de* X *dans* Y est un fibré de Hilbert $\pi\colon E \to X$ au-dessus de X, un voisinage ouvert Z de la section nulle $E(o)$ de E et un isomorphisme $f\colon Z \to U$ de Z sur un ouvert de Y contenant X et tel que le diagramme suivant commute

$$\begin{array}{ccc} Z & & \\ {\scriptstyle \zeta}\uparrow & \overset{f}{\searrow} & \\ X & \xrightarrow[i]{} & Y \end{array}$$

Définition 6.2. Si X est une sous-variété fermée de Y, alors *un voisinage tubulaire fermé* de X dans Y est

i) un fibré de Hilbert $\pi\colon E \to X$

ii) un plongement du fibré $E(1)$ dans Y, $j(1)\colon E(1) \to Y$ dont la restriction $j(o)\colon E(o) \to X$ est un C^∞-isomorphisme et telle qu'il existe une extension de $j(1)$ à un plongement $j\colon E \to Y$ sur un ensemble ouvert $j(E)$ dans Y. Notons que le voisinage tubulaire est complètement déterminé par la paire (π, j).

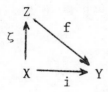

Nous savons que des voisinages tubulaires existent et deux voisinages tubulaires de X dans Y sont isotopes. (Voir Lang [4]). Mais nous avons besoin d'une version plus forte de ce théorème.

Théorème 6.1. (Isotopie ambiante des voisinages tubulaires.)

Soient $\pi_i: E_i \to X$ $(i = 0, 1)$ des fibrés hilbertiens sur X et $j_i: E_i \to Y$ des plongements de E_i $(i = 0, 1)$ qui déterminent des voisinages tubulaires fermés d'une sous-variété fermée X dans Y. Alors il existe une isotopie $\phi_t: Y \to Y$ telle que

i) $\phi_t(x) = x$ pour tout $x \in X$ c'est-à-dire ϕ_t laisse X invariant point par point.

ii) $\phi_1 [j_o(E_o(1))] = [j_1(E_1(1))]$

iii) $j_1^{-1} \phi_1 j_o: E_o(1) \to E_1(1)$ est un isomorphisme de fibrés de fibre des boules unités (orthogonales).

Voici les étapes de la preuve du théorème 1.

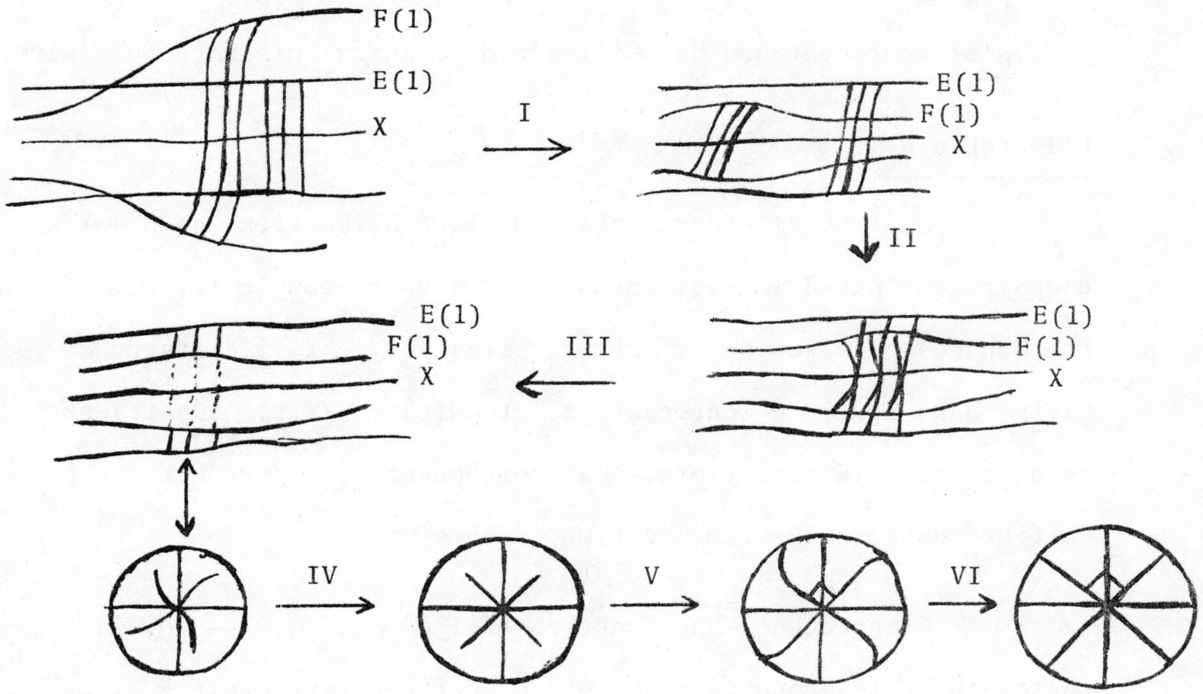

I Construire une C^{∞}-isotopie h_t^{α} avec laquelle nous pouvons ramener E_1 dans E_o.

II Faire en sorte que j préserve les fibres près de X.

III Faire en sorte que j préserve les fibres sur E(1).

IV Linéariser j dans chaque fibre près de $X \subset Y$.

V Orthogonaliser près de X.

VI Orthogonaliser et faire en sorte que $F_x(1) = E_x(1)$.

{ Identification locale près de X et puis globalement à tout E(1

I. *Définition de l'isotopie* h_t; et construction de l'isotopie ambiante pour qu'en $t = 1$, l'image du premier voisinage tubulaire soit complètement contenue dans l'image de l'autre voisinage tubulaire.

L'isotopie h_t:

Soit E l'espace total du fibré hilbertien $\pi: E \to X$. Si $z \in E$ n'appartient pas à la section nulle $X \subset E$ le couple (r, w) désignera les coordonnées polaires de z où $r = r(z) \neq 0$ est la distance de z à l'origine dans la fibre contenant z et $w(z) = z/r(z)$ appartient à la sphère unité dans la même fibre. Par conséquent, w parcourt l'espace total du fibré dont chaque fibre est une sphère unité.

Etant donné une fonction réelle C^∞, $\alpha: X \to (o, 1]$, $a = 5$ une constante et les fonctions β et $\overline{\beta}$ définies au chapitre 2

nous définirons des isotopies h_t^α et $k_t^\alpha = (h_t^\alpha)^{-1}$ qui appliquent chaque fibre dans elle-même de la façon suivante:

$$h_t^\alpha : E \overset{\simeq}{\to} E$$

$h_t^\alpha(r,w) = (\beta(r-a).[1-t+t\alpha].r + \overline{\beta}(r-a).r,w)$ où $\alpha = \alpha(\pi(w))$

$h_t^\alpha(z) = z$ pour $z \in X$.

Notons que

i) Si $r \geq a+1$, $h_t^\alpha(r,w) = (r,w)$ est l'application identité, donc

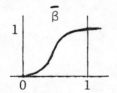

ne dépend pas de t.

ii) Si $r \leq a$, h_t^α restreinte à chaque fibre est une multiplication de vecteurs par $1 - t + t\alpha$, où $\alpha > 0$ est constante en chaque fibre.

iii) En $t = 1$, le facteur $1 - t + t\alpha$ est α.

iv) Si $r = 0$ nous avons l'application identité (de X).

L'isotopie k_t^α est un difféomorphisme k_1^α en $t = 1$. Dans la fibre $\pi^{-1}(x)$ et dans un voisinage assez petit de x, k_1^α est une multiplication de vecteurs par le facteur $1/\alpha(x) \geq 1$.

Ceci termine la construction de l'isotopie h_t^α, isotopie qui sera utilisée plusieurs fois au cours de la preuve du théorème.

Prenons les hypothèses du théorème 6.1. Soit U un voisinage ouvert de X dans Y tel que

$$U \subset j_o(E_o(1)).$$

Nous identifierons <u>temporairement</u> E_1 et son image $j_1(E_1) = E_1 \subset Y$ et nous utiliserons des coordonnées polaires (r,w) pour la fibre $\pi_1 \colon E_1 \to X$. Il existe une fonction réelle continue et positive $\alpha \colon X \to (0, 1]$ telle que $U \subset \{(r,w) \mid r \leq \frac{1}{2}\, \alpha(\pi_1(w))\} \subset E_1 \subset Y$. Nous pouvons supposer que α est de classe C^∞ car toute fonction continue sur X peut être approchée convenablement par une fonction C^∞. L'isotopie h_t^α déterminée par α, appliquée à $E_1 \subset Y$ et prolongée par la fonction constante à l'extérieur de E_1 nous donne un difféomorphisme en $t = 1$.

$$h_1^{\alpha}\colon\ Y \to Y$$

et $h_1^{\alpha}(E_1(2)) \subset U \subset j_o(E_o(1))$.

En modifiant l'extension du voisinage tubulaire à l'extérieur de $E_1(1)$, nous pouvons supposer que

$$j_1(E_1) \subset j_o(E_o(1)) .$$

II. Cette section contient la partie principale de la preuve. Nous pouvons maintenant supposer la situation suivante:

$E \overset{\subset}{\to} X$ et $F \overset{\subset}{\to} X$ sont des fibrés hilbertiens avec des sections nulles $X \to E$ et $X \to F$, j un plongement ouvert dans le diagramme commutatif

$$\begin{array}{ccc} F & \xrightarrow{\ j\ } & E = Y \\ \uparrow & & \uparrow \\ X & \xrightarrow{\ =\ } & X \end{array}$$

Lemme 6.1.

Avec ces hypothèses, il existe une isotopie $\psi_t\colon\ E \to E$ *dont le support est borné dans chaque fibre, et telle que la composition* $\psi_1 \circ j$ *restreinte à* $F(2)$ *préserve les fibres et le diagramme suivant commute.*

$$\begin{array}{ccc} F(2) & \xrightarrow{\ \psi_1 j\ } & E \\ \downarrow & & \downarrow \\ X & \xrightarrow{\ =\ } & X \end{array}$$

Démonstration. Nous supposerons que les fibrés sont des fibrés produits, ceci n'est pas une restriction si la fibre est un espace d'Hilbert de dimension infinie. Nous indiquerons la généralisation au cas des fibrés non triviaux à la fin de la preuve.

Nous avons donc

$$\begin{array}{ccc} F = X \times H_2 & \xrightarrow{\;j\;} & X \times H_2 = E \\ \uparrow & & \uparrow \\ X & \xrightarrow{\;=\;} & X \end{array}$$

et

$$\begin{array}{ccccc} X & \xleftarrow{\;p_1\;} & X \times H_2 & \xrightarrow{\;p_2\;} & H_2 \\ & \nwarrow & \downarrow w & \searrow r & \downarrow \text{norme} \\ & & X \times S & & R \end{array}$$

j est un plongement sur un ouvert de $X \times H_2 = E$, et $j \mid X = X \times \{0\}$ est l'application identité. H_2 est un espace d'Hilbert qui peut être de dimension finie, p_1 et p_2 sont les projections et $r(z) = |p_2(z)|$. Nous utiliserons une métrique riemannienne sur X et sur $X \times H_2 = F = E$ nous avons la métrique riemannienne produit.

En $x \in X \times 0$, l'espace tangent $H = H_1 \times H_2$ est un espace d'Hilbert muni de la norme obtenue de la métrique riemannienne et H a les composantes orthogonales suivantes: $H_1 = H_1 \times 0$ - l'espace tangent par rapport à $X \times 0$, et $H_2 = 0 \times H_2$ l'espace tangent par rapport à la fibre $x \times H_2$.

La dérivée de j au point $x \in X \times 0$ est un automorphisme linéaire $dj = \sigma = \begin{pmatrix} 1 & \sigma_1 \\ 0 & \sigma_2 \end{pmatrix}$. σ_2 est un automorphisme de H_2.

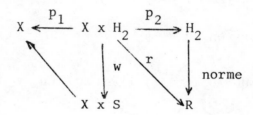

Définissons *l'angle* ϕ *entre deux sous-espaces* A *et* B d'un espace de Hilbert H comme la limite supérieure des angles formés par un vecteur unité dans A et sa projection dans B.

L'angle ϕ_x entre les variétés $x \times H_2$ et $j(x \times H_2)$ au point $x = x \times o = j(x \times o)$ satisfait la condition suivante

$$\operatorname{cotg} \phi_x = \inf_{y \in H_2 \ y \neq o} \frac{|\sigma_2(y)|}{|\sigma_1(y)|} \geq \frac{\|\sigma_2^{-1}\|^{-1}}{\|\sigma_1\|} > 0 \quad 0 \leq \phi_x \leq \pi/2$$

Si $\|\sigma_1\| = 0$, alors on pose $\phi_x = 0$.

Pour chaque point x, il existe un $t_x < \pi/2$ tel que

$$\phi_x \leq t_x < \pi/2 \ .$$

Mais on n'a pas nécessairement une borne strictement inférieure à $\pi/2$ qui est la même pour tous les $x \in X$. Nous appliquons une isotopie pour obtenir cette borne pour tous les $x \in X$.

Choisissons une fonction C^∞ $\alpha: X \to (0,1] \subset R$ tel que $0 \leq 5\ \alpha(x) \leq \operatorname{cotg} \phi_x$, et appliquons l'isotopie k_t^α définie précédemment au fibré E. Le plongement j devient en $t = 1$ un plongement $k_1^\alpha \circ j: F \to E$ et l'angle ϕ_x^* en x entre $x \times H_2$ et $k_1^\alpha\, j(x \times H_2)$ satisfait maintenant la condition

$$\operatorname{cotg} \phi_x^* > (\operatorname{cotg} \phi_x)/\ \alpha(x) \geq 5$$

Nous pouvons donc supposer que $\operatorname{cotg} \phi_x \geq 5$ pour tout $x \in X$.

Maintenant nous allons construire une *isotopie locale* η_t sur un petit voisinage de $X \subset E$; puis nous aurons à trouver une *isotopie globale* correspondante ψ_t^1.

Soit l'application η_1 de classe C^∞.

$$\eta_1 : E \cap jF \to E$$

$$\eta_1(z) = (p_1 j^{-1}(z), p_2(z)) \in X \times H_2 = E.$$

Remarquons que $z = (p_1 z, p_2 z)$ d'où les points de X sont fixes dans l'application η_1.

Etudions la dérivée de η_1 au point $x \in X$, où l'espace tangent est $H_1 \times H_2$.

Si $y_1 \in H_1 \times 0$ et $y_2 \in 0 \times H_2$

alors $\begin{pmatrix} y_1 \\ 0 \end{pmatrix} \xrightarrow{d\eta_1} \begin{pmatrix} y_1 \\ 0 \end{pmatrix}$ $\quad \begin{pmatrix} \sigma_1 y_2 \\ \sigma_2 y_2 \end{pmatrix} \xrightarrow{d\eta_1} \begin{pmatrix} 0 \\ \sigma_2(y_2) \end{pmatrix}$

D'où, au point $x \in X$ $\quad d\eta_1 = \begin{pmatrix} 1 & -\sigma_1\sigma_2^{-1} \\ 0 & 1 \end{pmatrix} = \begin{pmatrix} 1 & 0 \\ 0 & \sigma_2 \end{pmatrix} \begin{pmatrix} 1 & -\sigma_1\sigma_2^{-1} \\ 0 & \sigma_2^{-1} \end{pmatrix}$

$$= \begin{pmatrix} 1 & 0 \\ 0 & \sigma_2 \end{pmatrix} \sigma^{-1} \quad \text{où} \quad \sigma = d_j .$$

d_1 est un isomorphisme pour chaque $x \in X$; conséquemment pour un petit voisinage de X dans E, η_1 est un difféomorphisme, et chaque point de X reste fixe.

De plus, η_1^{-1} existe sur un voisinage assez petit de X dans E.

Soit $\rho_1 : X \to (0,1]$ une fonction C^∞ telle que η_1^{-1} soit un difféomorphisme sur un voisinage ouvert U_1 de $X \subset E$ et

$$U_1 = \{z \in E \mid r(z) < \rho_1(p_1(z))\} \ .$$

Soit $\rho_2 : X \to (0,1]$ une fonction C^∞ telle que η_1 soit un difféomorphisme sur l'ensemble

$$U_2 = \{z \in E \mid r(z) < \rho_2(p_1(z))\} \quad \text{et} \quad \eta_1(U_2) \subset U_1 \ .$$

Considérons la composition η_t, $0 \le t \le 1$, des plongements difféomorphes suivants

$z \in U_2$

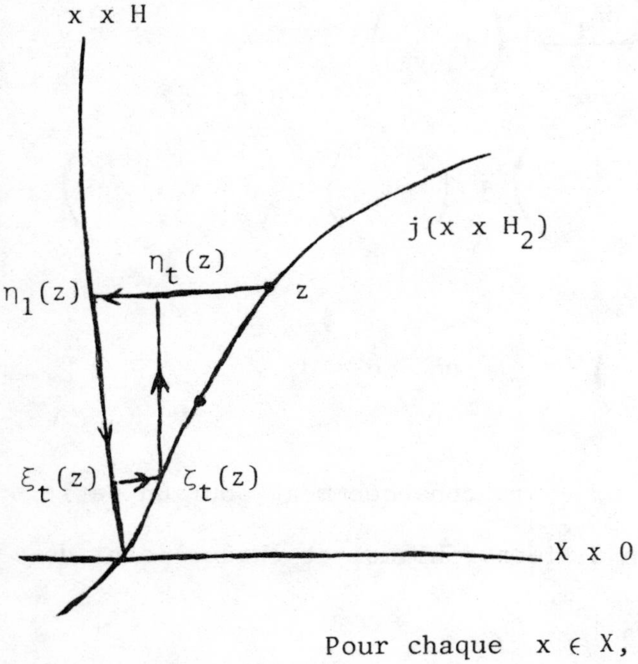

$$z = (p_1(z),\ p_2 z)$$
$$\downarrow \eta_1$$
$$\eta_1(z) = (p_1\eta_1 z,\ p_2 z)$$
$$\downarrow 1-t$$
$$\xi_t(z) = (p_1\eta_1 z,\ (1-t)p_2(z))$$

multiplication par (1-t) dans chaque fibre.

$$\downarrow \eta_1^{-1}$$
$$\zeta_t(z) = (p_1\zeta_t z,\ (1-t)p_2 z)$$
$$\downarrow (1-t)^{-1}$$
$$\eta_t(z) = (p_1\zeta_t(z),\ p_2 z)$$

η_t est une isotopie locale (près de $X \subset E$)

Pour chaque $x \in X$, il existe des voisinages ouverts N_x et N'_x

$$x \in N_x \subset N'_x \subset U_2 \subset X \times H \ .$$

tels que $\cot g\, \phi_z \geq 4$ pour $z \in N'_x$,

et $\zeta_t(N_x) \cup \eta_t(N_x) \cup \zeta_t^{-1}(N_x) \cup \eta_t^{-1}(N_x) \subset N'_x \qquad 0 \leq t \leq 1$.

Soit $U \subset \bigcup_{x \in X} N_x$ l'ensemble défini par la fonction C^∞ $\rho: X \to (0,1]$

où $U = \{z \in E \mid r(z) < \rho(p_1(z))\}$. Pour chaque $z' \in U$ et $0 \leq t_o \leq 1$, il existe un z unique tel que $\eta_{t_o}(z) = z'$ et il existe un vecteur tangent $(v_{t_o}(z'),o)$ en z' à la courbe $\eta_t(z)$.

Sa longueur est égale à la longueur de la composante en X du vecteur tangent en $\zeta_{t_o}(z)$ par rapport à $\zeta_t(z)$. La composante en H de ce vecteur est $\frac{d}{dt}(1-t)p_2(z) = -p_2(z)$ et $r(z) < 1$. Mais puisque $\cot g\, \phi(\zeta_{t_o}(z)) \geq 4$ on a que $|v_{t_o}(z)| \leq \frac{1}{4}\, r(z)$ pour $z \in U$, $t_o \in I$.

Nous avons un champ de vecteurs C^∞

$$(v_t(z),0,1) \text{ entre } (z,t) = (p_1(z),p_2(z),t) \subset U \times I \subset E \times I = X \times H \times I$$

Si β est l'application définie au chapitre 2, alors

$$\beta(2u-1) = \begin{cases} 1 & \text{si } u \leq \frac{1}{2} \\ 0 & \text{si } u \geq 1 \end{cases}$$

Nous définissons un nouveau champ de vecteurs C^∞ *sur toute la variété* $X \times H \times I$. Ses trois composantes au point $(z,t) = (p_1(z),p_2(z),t)$ sont

$$(w_t(z),\ 0,1) = \begin{cases} \left(\beta\left(\frac{2r(z)}{\rho(p_1(z))} - 1\right).\ v_t(z),0,1\right) & \text{si } r(z) \leq \rho(p_1(z)) \\ (0,0,1) & \text{si } r(z) \geq \rho(p_1(z)) \end{cases}$$

Remarquons que $|w_t(z)| \leq \frac{1}{4}\, r(z)$

et $|w_t(z)| \leq \frac{1}{4}$ pour $z \in E$.

Le champ de vecteurs a une courbe intégrale (z_t, t) $0 \leq t < t_o(z_o)$ quel que soit le point initial $(z_o, o) \in E \times 0 \subset E \times I$ (Voir Abraham-Robbin: Transverse mappings and flows, Benjamin 1967).

Si $t_o(z_o) < 1$, alors il existe une suite de Cauchy z_{t_i} avec $t_i = (1-2^{-i})\, t_{z_o}$ convergeant vers $z_{t_o(z_o)}$.

Ainsi la courbe intégrale s'étend à tout l'intervalle [0,1]. Le champ de vecteurs peut être intégré et définit une *isotopie globale* ψ'_t de $E = X \times H$ qui est l'identité sur l'ensemble $\{z \mid r(z) > 1\}$ et telle que $\psi'_1 \circ j \colon X \times H \to X \times H$ préserve les fibres dans un voisinage de $X = X \times 0$. La composition avec une isotopie convenable h^α nous donne l'isotopie ψ_t cherchée.

Dans les cas où les fibrés sont non triviaux, soient $\{U_\alpha\}$ et $\{V_\alpha\}$ des recouvrements localement finis de X ($\alpha = 1,2,\ldots$) avec $U_\alpha \subset \overline{U}_\alpha \subset V_\alpha$ et tels que les fibrés soient triviaux sur chaque V_α.

Nous appliquons le procédé décrit au fibré au-dessus de V_α, en modifiant $w_t(z)$ sur $V_\alpha - U_\alpha$, tel que $w_t(z)$ s'annule pour $p_1(z)$ proche de $\overline{V}_\alpha - V_\alpha$. Notons l'isotopie ψ'_t pour $\alpha - 1 \leq t \leq \alpha$ $\alpha = 1, 2, \ldots$ L'isotopie ψ'_t, $0 \leq t < \infty$ converge partout pour $t \to \infty$, et par un changement de paramètre $t \to t/t+1$ nous obtenons l'analogue de ψ'_t pour le fibré non trivial.

III. Nous ramenons $F(2)$ fibre à fibre à l'intérieur de la partie où l'isotopie ambiante préserve les fibres, tout en laissant F globalement inchangé. Alors j préserve les fibres globalement.

IV. "*Linéarisation locale*". Nous avons maintenant une application $j: E \to E$ qui préserve les fibres.

Discussion du procédé dans une fibre (x *est constant*).

Nous avons $j_x: E_x \to E_x$ et $\ell_x = (dj_x)_x \in GL(E_x)$. Définissons k_x de la façon suivante: $k_x j_x \ell_x^{-1} = I_{E_x}$ l'application identité de E_x.

Alors k_x est défini et est un difféomorphisme sur un certain voisinage de x dans E_x. Sa dérivée est 1 en $y = 0$ dans E_x. Nous observons la situation avec un "microscope". Si on regarde à travers un microscope puissant, k_x ressemble à l'identité près de 0. Introduisons une nouvelle coordonnée z dans la fibre E_x en posant $y = \varepsilon z$ $\varepsilon = \varepsilon(x)$ petit. (Notons que nous avons la même chose mais dans la coordonnée z au lieu de y).

Considérons l'homotopie C^∞ suivante

$$y \to (1-t)y + tk_x(y) = y + t\,(k_x(y) - y) \qquad \text{ou}$$

$$z \to z + \frac{t}{\varepsilon}\,[k_x(\varepsilon z) - \varepsilon z]\ .$$

Si $|z| < 1$ et ε est petit cette application de même que sa première dérivée (pour tout $0 \le t \le 1$) est très proche de l'application identité.

Modifions l'application et soit $z \to z + \frac{t}{\varepsilon}\beta(2|z|-1)[k_x(\varepsilon z)-\varepsilon z]$. Si ε est petit, c'est une isotopie de E pour $|z| < 1$. Etendons-la en la posant égale à l'identité pour $|z| > 1$. En terme de y on a

$$\phi_{x,t}: y \to \phi_{xt}(y) = y + t\beta\left(\frac{2|y|}{\varepsilon} - 1\right)[k_x(y) - y]$$

Pour $|y| > \varepsilon$, c'est l'identité. Pour $|y| < \frac{\varepsilon}{2}$, elle transforme l'identité en k_x quand $t = 1$.

Considérons $\phi_{xt}\, j_x \ell_x^{-1}$ et $\phi_{xt} j_x$.

En $t = 0$, les deux sont $j_x \ell_x^{-1}$ et j_x respectivement.

En $t = 1$, et des valeurs de y petites, ce sont l'identité et ℓ_x respectivement. Etant donné $\varepsilon' > 0$, on a par un choix convenable de ε, (en tenant compte de la norme de ℓ_x et de ℓ_x^{-1} de même que l'approximation de j_x par ℓ_x):

$$\phi_{x,t}\, j_x(y) = j_x(y) \quad \text{si} \quad |y| > \varepsilon'.$$

Discussion du procédé pour tout le fibré.

Nous pouvons choisir une application C^∞ $\varepsilon: X \to (0,1]$ assez petite pour que l'isotopie ambiante soit possible dans chaque fibre en même temps, en la définissant comme l'identité partout où $\phi_{x,t}$ n'est pas encore défini.

V. *Identification des tubes près de* X. Soit h_t: GL → GL une contraction de GL. Nous pouvons supposer (sans perte de généralité) que $h_t = h_o$ = identité pour $0 \leq t \leq 2\delta$ et $h_t(g) = h_1(g) = e$ (l'élément identité de GL) pour tout $g \in GL$ et $1 - 2\delta \leq t \leq 1$. Remarquons que h_t est une application continue, mais pas nécessairement C^∞, car $GL(H) \subset End(H)$ n'est pas séparable et aucune partition de l'unité de classe C^∞ n'est connue au moyen de laquelle nous pourrions la rendre C^∞.

Nous considérons tout d'abord la construction pour une fibre au point x.

$$f'_{xt} = h_{1-t}(\ell_x): E_x \to E_x \quad .$$

Les applications sont constantes et C^∞ si $0 \leq t \leq 2\delta$ et si $1 - 2\delta \leq t \leq 1$. Comme applications de X x I, nous pouvons prendre une approximation C^∞ et obtenir $f_{xt} \in GL(E_x)$ qui est C^∞ en x et t tel que

$$f_{xt} = f^1_{xt} \quad \text{pour} \quad 0 \leq t \leq \delta \quad \text{et} \quad 1 - \delta \leq t \leq 1$$

Modifions l'application $E_x \to E_x$ ainsi obtenue pour chaque $t \in I$ de façon à ce que loin de la section nulle, elle reste constante, en prenant (voir la figure suivante) pour une certaine constante $a = a(x)$

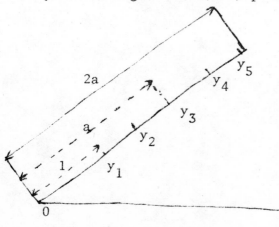

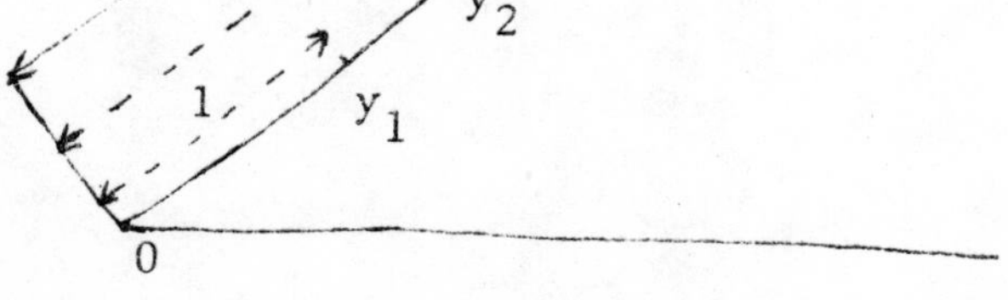

$$|y| \leq 1 \qquad y \to f_{xt}(y)$$

$$|y| = a(x) \leq 1 \quad y \to f_{xt}(y) \cdot \frac{|y|}{|f_{xt}(y)|}$$

$$1 \leq |y| \leq a \qquad y \to f_{xt}(y) \left[\beta\left(\frac{|y|-1}{a-1}\right) + \bar{\beta}\left(\frac{|y|-1}{a-1}\right) \frac{|y|}{|f_{xt}(y)|}\right]$$

$|y| = (1 + u)a \qquad 0 < u \leq 1, \qquad y \to f_{xv}(y) \dfrac{|y|}{|f_{xv}(y)|} \qquad v = \beta(u)$

$|y| \geq 2a \qquad y \to y.$

Tout ceci peut être multiplié par un facteur (petit) pour obtenir une isotopie analogue à support dans un petit voisinage de 0 dans E_x. Dans E près de X, après cette construction pour chaque x, nous avons une isotopie qui envoie $j: E_x \to E_x$ dans l'identité dans un voisinage de la section nulle $X \subset E \subset Y$.

Globalement: En ramenant $F(2)$ dans chaque fibre radialement sur elle-même à l'intérieur de cette partie. Alors dans l'intérieur de $E(2)$ nous obtenons l'identification nécessaire avec isotopie ambiante des deux tubes.

7. *Le théorème principal.*

Dans ce chapitre, H dénotera un espace d'Hilbert, B un espace de Banach. Rappelons que si X est une variété banachique modelée sur B alors on dit que X est Palais-stable si X et X x B sont C^{∞}-difféomorphes.

Eells et Elworthy [31] ont démontré que toute variété hilbertienne séparable est Palais-stable. Notons cependant que ce résultat ne s'étend pas aux variétés banachiques car si J est l'espace de Banach de James (voir chapitre 3) on a que $J \not\approx J \times J$; (J n'est pas Palais-stable).

Le but de ce chapitre est de démontrer que deux variétés hilbertiennes qui sont C^{∞}-homotopes sont C^{∞}-difféomorphes. Pour ce faire nous utiliserons le résultat de Eells-Elworthy. Nous commençons avec deux lemmes. (Les variétés seront toujours séparables dans ce qui suit.)

Lemme 7.1.

Toute application f *de classe* C^{∞} *d'une variété hilbertienne dans une autre est homotope* C^{∞} *à un plongement fermé.*

Démonstration. Soient X et Y deux variétés hilbertiennes. $f: X \to Y$. Par le théorème 2.5. du chapitre 2, il existe un plongement $\sigma: X \to D \subset H$ où D est la boule unité de H. Puisque Y est C^{∞}-difféomorphe à $Y \times H$ on peut supposer que f est $h_o: X \to Y \times H$.

Supposons que $h_o(x) = (p(x), q(x))$. Alors l'homotopie cherchée est donnée par

$$h_t(x) = \begin{cases} (p(x), (1-2t)q(x)) & 0 \leq 2t \leq 1 \\ (p(x), (2t-1)\,\sigma(x)) & 1 \leq 2t \leq 2 \end{cases}$$

$h_o(x) = f(x)$ et $h_1(x) = (p(x), \sigma(x))$ qui est un plongment fermé puisque σ est un plongement fermé.

Lemme 7.2. (Lemme de Hirsch pour des variétés hilbertiennes)

Soient $I = [b,c]$ et $J = [a,e]$ *où* $a < b < c < e$ *des intervalles fermés dans* $\mathbb{R}$. *Soit* $F: A \times J \to B \times J$ *une isotopie*, de *paramètre* $t \in J$, *de plongements fermés de variétés de classe* C^∞ *de dimension quelconque et soit* $F(x,t) = (F_1(x,t), t) \in B \times J$.

Si $F_1: A \times J \to B$ *est un plongement* C^∞, *alors il existe une isotopie ambiante* $G: B \times I \to B \times I$ *telle que* $G(F_1(x,o),t) = F(x,t)$ *pour chaque couple* $(x,t) \in A \times I$.

Démonstration. Sans perte de généralité nous pouvons supposer $I = [0, 1]$ et $J = [-s_o, s_o]$ avec s_o assez grand.

Dans le cas où A est un point et B un plan, l'isotopie ambiante est obtenue facilement. Puisque, dans ce cas $F_1(A \times J)$ est un arc de courbe et possède donc un voisinage tubulaire dans B difféomorphe dans $J \times [-1, +1]$. L'isotopie est esquissée dans la figure suivante; le support de l'isotopie est le rectangle $J \times [-1, +1] \subset B$.

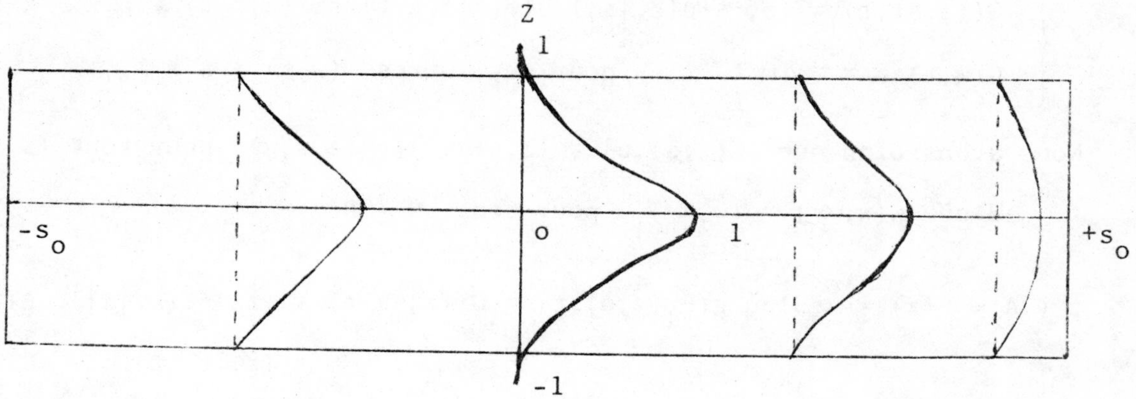

Le cas général est semblable. Dans la formulation qui suit nous avons remplacé quelques plongements par des identifications, pour faciliter la formulation.

Il existe un voisinage tubulaire, l'espace total d'un fibré dont chaque fibre est une boule unité, de $A \times J = F_1(A \times J) \subset B$ de la forme $E \times J \subset B$, et la projection

$$E \times J \xrightarrow{p \times id} A \times J,$$

où $p\colon\ E \to A$ est le fibré dont la fibre en chaque point est une boule unité.

Dénotons par $r(z)$ la distance de z à l'origine dans la fibre le contenant - fibre qui est une boule unité $(r(z) \leq 1)$

Rappelons que dans le chapitre 2 nous avons défini la fonction

β -

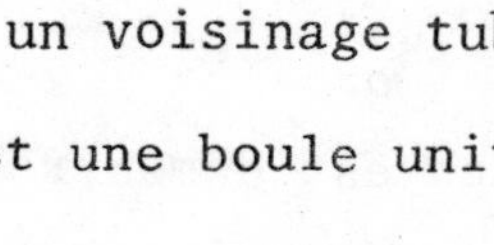

L'isotopie ambiante G est alors

$$\begin{cases} G((z,s),t) = (z,\ s+\beta(\varepsilon.|s|).\beta(r(z)).t,t) \text{ si } (z,s,t) \in E \times J \times I \subset B \times I \\ G(w,t) \quad = \quad (w,t) \qquad \text{pour les autres } (w,t) \in B \times I. \end{cases}$$

Nous avons bien que $G(z,s),o) = (z,s+o,o) = (z,s,o)$ pour tout $(z,s) \in E \times J$.

d'où $G(w,o) = (w,o)$ pour tout $w \in B$.

$$z \in A \Rightarrow r(z) = o \text{ d'où } g(F_1(z,o),t) = G((z,o),t) = (z, o+\beta(\varepsilon.|s|).\ \beta(r(z))t,t)$$
$$= (z,\ t,\ t)$$
$$= F(z,t)$$

On choisit $t > 0$ assez petit pour que $\frac{d}{dt}\beta(\varepsilon t) < \frac{1}{2}$ pour chaque t afin que G soit un difféomorphisme et non seulement une application C^{∞}. Pour cela il suffit de le vérifier pour la coordonnée s. s_o doit être suffisamment grand (tel que $\varepsilon s_o \geq 1$.)

Ainsi le lemme de Hirsch est démontré.

Théorème 7.3.

Soit X *et* Y *des variétés hilbertiennes. S'il existe une équivalence d'homotopie* (C^{∞}) *de* X *à* Y *alors* X *et* Y *sont* C^{∞}*-difféomorphes.*

Démonstration. Supposons que l'équivalence d'homotopie est donnée par $X \overset{f}{\to} Y \overset{g}{\to} X$ où $gf \sim 1_X$ et $f.g \sim 1$.

Vu le lemme précédent, on peut supposer que g et f sont des plongements fermés.

Soit $K: X \times I \to X$ l'homotopie du plongement gf à 1_X. Alors si $k_t : X \to X$ est donnée par $k_t(x) = k(x,t)$ on a que $k_o = gf$ et $k_1 = 1_X$.

Posons $\begin{cases} k_t = k_o & \text{pour } t \leq 0 \\ k_t = k_1 & \text{pour } t \geq 1 \end{cases}$.

Ainsi k_t est défini pour tout $t \in \mathbb{R}$. Nous obtenons donc deux isotopies:

$$\phi^1(x,t) = (k_t(x),\ t\,\sigma(x),\ t) \in X \times D \times \mathbb{R} \qquad t \in \mathbb{R}$$

$$\phi^2(x,t) = (k_t(x),\ (1-t)\,\sigma(x),\ 1-t) \in X \times D \times \mathbb{R} \qquad t \in \mathbb{R}.$$

Remarquons que $\phi^1(x,\frac{1}{2}) = \phi^2(x,\frac{1}{2})$ et ϕ^1, ϕ^2 sont des plongements C^∞ de $X \times \mathbb{R}$ dans $X \times D \times \mathbb{R}$.

Pour le lemme de Hirsch (voir chapitre 6) ils ont des <u>isotopies</u> ambiantes Φ^1 et Φ^2 sur $[0, \frac{1}{2}]$ et $[\frac{1}{2}, 1]$ respectivement.

$$\Phi^1_t(\phi^1(x,o)) = \phi^1(x,t) \qquad 0 \leq t \leq \tfrac{1}{2}$$

$$\Phi^2_t(\phi^2(x,\tfrac{1}{2})) = \phi^2(x,t) \qquad \tfrac{1}{2} \leq t \leq 1 \quad .$$

$\Phi^1_o = \Phi^2_{\frac{1}{2}} =$ identité: $X \times D \to X \times D$ puisque Φ^1 et Φ^2 sont des <u>isotopies</u>.

Définissons l'isotopie suivante:

$$\Phi_t = \begin{cases} \Phi^1_t & 0 \leq t \leq \frac{1}{2} \\ \Phi^2_t \circ \Phi^1_{\frac{1}{2}} & \frac{1}{2} \leq t \leq 1 \end{cases}$$

$\Phi_t : X \times D \to X \times D \quad 0 \leq t \leq 1$ et est continue en t de classe C^∞ sauf en $t = \frac{1}{2}$.

De plus, $\Phi_o = \Phi_o^1 =$ identité : $X \times D \to X \times D$

$$\Phi_1\, gf(x,o) = \Phi_1^2 \circ \Phi_{\frac{1}{2}}^1\, (gf(x),\, o)$$

$$= \Phi_1^2 \circ \Phi_{\frac{1}{2}}^1\, (\phi'(x,o))$$

$$= \Phi_1^2\, (\phi'(x,\tfrac{1}{2}))$$

$$= \Phi_1^2\, (\phi^2(x,\tfrac{1}{2}))$$

$$= \phi^2(x,1) \qquad (x,0) \in X \times D.$$

Nous avons donc des plongements

$$X \overset{f}{\to} Y \overset{\Phi_1 g}{\to} X \times D \quad \text{où} \quad \Phi_1\, gf(x) = (x,o) \quad \forall x \in X.$$

Soit $D(j) = \{z \in H \mid |z| \leq j\}$ ainsi $D(1) = D$.

Prolongeons $\Phi_1 g$ à un voisinage tubulaire de $Y \times D(1)$ et prolongeons f de telle façon qu'on ait une suite de plongements de voisinages tubulaires $X \times D(1) \overset{F_1}{\to} Y \times D(1) \overset{G_1}{\to} X \times D(2)$ où $G_1 \circ F_1(x,o) = (x,o)$ pour tout $x \in X$.

Par le théorème des voisinages tubulaires ambiants (chapitre 6) on peut construire une autre isotopie de $X \times D(2)$ qui modifie G_1 (on peut utiliser le même symbole G_1) telle que finalement $G_1 \circ F_1$ soit non seulement un isomorphisme de fibrés mais l'application identité, puisque $GL(H)$ est contractile (voir chapitre 4),

$$G_1 \circ F_1 = \text{identité:}\ \ X \times D(1) \to X \times D(2).$$

De la même façon on obtient F_2:

$$Y \times D(1) \overset{G_1}{\to} X \times D(2) \overset{F_2}{\to} Y \times D(2)$$

avec $F_2 \circ G_1$ = identité.

Ainsi on obtient une suite de plongements,

$$X \times D(j) \overset{F_j}{\to} Y \times D(j) \overset{G_j}{\to} X \times D(j+1) \overset{F_{j+1}}{\to} Y \times D(j+1)$$

où $G_j \circ F_j$ = identité et $F_{j+1} \circ G_j$ = identité.

A la limite, on a $\bigcup_j (X \times D(j)) = X \times H$ $\bigcup_j (Y \times D(j)) = Y \times H$

et $X \times H \overset{F_\infty}{\to} Y \times H \overset{G_\infty}{\to} X \times H$ et $G_\infty F_\infty$ = identité. Puisque X et Y sont Palais-stables, on a X est C^∞-difféomorphe à Y.

<u>Remarques</u>. Applications.

1) Tout C.W. complexe dénombrable est homotopiquement équivalent à un ouvert d'un espace d'Hilbert H. Donc *les classes de variétés hilbertiennes difféomorphes représentent un à un les classes d'homotopies de C.W. complexes dénombrables.*

2) Si G est un groupe engendré par un nombre dénombrable d'éléments, alors l'espace d'Eilenberg-McLane K(G,1) peut être choisi comme étant un C.W. complexe dénombrable qui est homotopiquement équivalent à un ouvert de H d'où K(G, 1) est Palais-stable $K(G,1) \cong K(G,1) \times H$ où H est un espace d'Hilbert.

La même chose pour le revêtement universel $\widetilde{K}(G,1) \cong \widetilde{K}(G,1) \times H$. Cet espace est homotope à un point d'où $\widetilde{K}(G,1) \cong H$.

Mais le groupe fondamental G de K(G,1) agit librement sur $\widetilde{K}(G,1) \cong H$. D'où, *il existe une action libre proprement discontinue de G par des difféomorphismes de l'espace d'Hilbert* H. *En particulier, le fibré* $H \to H/G$ *est un G-fibré principal universel.*

De la même façon, on obtient le même résultat pour un groupe de Lie compact G. (Cf. J. Eells, Fibring spaces of maps.)

3) Henderson [Infinite dimensional manifolds are open subsets of Hilbert space. Bull. A.M.S. 75, (1969), p.759-762.] a démontré que toute C^o-variété modelée sur un espace d'Hilbert (ou sur un espace de Fréchet séparable) a un plongement ouvert dans H . Par conséquent, de telles variétés sont C^o-classifiées par leur type d'homotopie suivant les résultats du chapitre 7. Henderson et plus tard d'autres personnes ont donné des preuves indépendantes et des généralisations aux cas où le modèle n'est pas séparable.

Bibliographie

Références générales:

[1] Abraham R. - Smale Lectures on Differential Topology, Mimeo notes. Columbia University (1962-63).

[2] Banach S. - Opérateurs linéaires.

[3] Eells James (Jr) - A Setting for Global Analysis, Bull. A.M.S. (Sept. 1966), pp.751-807.

[4] Lang S. - Introduction aux variétés différentiables, Dunod.

[5] Palais R.S. - Homotopy-type of infinite dimensional manifolds, Topology (1966), Vol. 5, pp.1-16.

[6] Palais R.S. - Foundations of Global non-linear analysis, Benjamin Inc. (1968).

Chapitre II : Théorème de Bessaga et théorèmes analogues:

[7] Bessaga C. - Every infinite dim. Hilbert space is diffeomorphic with its unit sphere, Bull. Acad. Pol. Sci. XIV, 1 (1966), pp.27-31.

[8] Kuiper N. - Burghelea D. - Hilbert manifolds, Ann. of Math. 90(1969), pp.379-417.

[9] Mac-Alpin J.H. - Infinite dimensional manifolds and Morse theory, (Ph.D. thesis), Columbia University.

Chapitre III : Théorème de plongement:

[10] Bessaga C. et Pelczýnsky A. - Banach spaces non isomorphic to their cartesian squares, Bull. de l'Acad. Pol. des Sciences VIII, 2 (1960), pp.77-80.

[11] Burghelea D. - Imbedding Hilbert manifolds in finite codimension (à paraître), Voir la suite de ces notes.

[12] Bonic R., Frampton J. - Smooth functions on Banach manifolds, J. of Math. & Mech., Vol. 15, no 5, Mai 1966, pp.877-898.

[13] Bonic R., Frampton J. et Tromba A. - Λ-manifolds, J. of Functional Analysis, Avril 1969, pp.310-320.

[14] Colojoara I. - On Whitney's imbedding theorem, Re. Roum. Math. Pures et Appl., Tome X, no 3, pp.291-296 et no 7, pp.1951-1952.

[15] Eells J. et Elworthy K.D. - Open embedding of certain Banach manifolds, Ann. of Math. 91(1970), pp.465-485.

[16] Kuiper N., Tersptra-Keppler - Differentiable closed embedding of Banach manifolds, Symposium in honour of Prof. G. de Rham, Springer-Verlag, (1970), pp.118-125.

[17] Moulis, N. - Sur les variétés hilbertiennes et les fonctions non-dégénérées, Kon-Ned-Akad Van Wetens. Indag. Math. Vol. 30, no 5, 30(1968), pp.497-511.

[18] Svarc, A.S. - The homotopic topology of Banach spaces, Dokl. Akad. Nauk. SSSR 154 (1964), 61-62. Sov. Math. Dokl 5 (1964), pp.57-59.

[19] James R.C. - A non-reflexive Banach space isomotric with its second conjugate space, Proc. NAS, 37 (1951), pp.174-177.

<u>Chapitres IV et V : Le groupe linéaire</u>:

[20] Arlt D. - Zusammensichbarkeit der allgemeinen linearen gruppe des Raumes c_o der Nullfolgen. Invent. Math. 1, 1966, pp.36-45.

[21] Breuer M. - A generalisation of Kuiper's theorem to factors of type Π_∞. J. Math. Mech. 16 (1967), pp.917-925.

[22] Douady A. - Un espace de Banach dont le groupe linéaire n'est pas convexe. Neder. Akad. Wetens. Proc. Ser. A. 68 Indag. Math. 27 (1965), pp.787-789.

[23] Illusie L. - Séminaire Bourbaki 284. Contractibilité du groupe linéaire des espaces de Hilbert de dimension infinie.

[24] Kuiper N. - The homotopy type of the unitary group of a Hilbert space. Topology 3, (1965), pp.19-30.

[25] Neubauer G. - Der Homotopie typ der Automorphismen Gruppe in den Raumen ℓ_p und c_o, Math. Annalen 174 (1967), pp.33-40.

[26] Van Est. - Non enlargible Lie Algebra. Proc. A'dan Indagationes Math. (à paraître).

[27] Atiyah - Lectures in K-theory. Benjamin.

[28] Jänich K. - Vektorraumbiindel und der Raum der Fredholm-Operatoren Dissertation Bonn (1964).

[29] Edelstein I., Mitjagin B. and Semenov E. - The linear groups of C and L_1 are contractible. Bull. Acad.Pol. Sc., vol. XVIII, p. 27.

[30] Whitehead J.H.C. - Combinatorial homotopy, Bull. AMS 55 (1959) pp.213-245.

<u>Chapitre VI : Voir 8 .</u>

<u>Chapitre VII : Théorème principal:</u>

[31] Eells J. - Elworthy K.D. - Open embeddings of certain Banach manifolds. Proc. Conference Berkeley and Annals of Math. 91(1970), pp. 465-485.

IMBEDDING HILBERT MANIFOLDS WITH GIVEN NORMAL BUNDLE

by
Dan BURGHELEA

This lecture is a short form of my paper : Imbedding Hilbert manifolds with given normal "bundle", Mathematiche Annalen, 1970.

In this lecture Hilbert manifold with or without boundary is always hausdorff, paracompact connected, separable C^∞-differentiable and with the ∞-dimensional separable Hilbert space H as local model. We preserve the name of "Hilbert manifolds" only for manifolds without boundary. Always "differentiable" means C^∞-differentiable, and imbeddings mean differentiable imbeddings.

It is very well known that any Hilbert manifold can be imbedded closely in the Hilbert space and because $H = H \times H$, it can be imbedded closely in infinite codimension. Because all vector Hilbert bundles with fibre H are trivial, it follows that such a vector bundle is the normal bundle for a closed imbedding.

The aim of this paper is to study which finite dimensional vector bundles are normal bundles for closed imbeddings. We will prove that there exists a lot of vector bundles which are normal bundles (we will always understand for closed imbeddings) and then there exists a lot of vector bundles which are NOT normal bundles. We will give necessary and sufficient conditions (theorem 1.1) for a vector bundle to be normal. The theorem 1.1 is not too effective because of the generality of the problem ; however a lot of corollaries can be derived, then allowing us to limit the class of the normal bundles.

At the same time the following consequence follows : the solution of the problem has to be sought in the homotopy theory. This is quite expected, knowing two Hilbert manifolds are diffeomorphic ([4], [6] and [3]) and two homotopic diffeomorphisms are isotopic [10] and [11] .

For instance, if $O(k)$ denotes the orthogonal group and $H(k)$ the H-associative space of all homotopy-equivalences of S^{k-1} and $\mu : O(k) \to H(k)$, the imbedding homomorphism (of H associative space) and $B(\mu) : B\,O(k) \to BH(k)$ the induced map for the classifying spaces of $O(k)$ and $H(k)$, then ξ^n is completely determined by a homotopy class $\hat{\xi} : M \to B(O(k))$ but the condition for ξ to be normal bundle refers only on $(B\mu \cdot \hat{\xi}) : M \to BH(k)$: More precisely if ξ and η are vector bundles which have the same fibre homotopy type, (i.e. if we denote by $S(\xi) \to M$ respectively by $S(\eta) \to M$ the sphere-fibre bundles associated to ξ and η , there exists a homotopy equivalence $\theta : S(\xi) \to S(\eta)$ such that $\theta : S(\xi) \longrightarrow S(\eta)$ is commutative) with both maps to X ($S(\xi) \searrow X \swarrow S(\eta)$)

and η is a normal bundle, then ξ is also a normal bundle.

<u>Remark</u> : The condition for imbeddings to be closed is important, otherwise all vector bundles are normal bundles for imbeddings, because one can imbed the total space of a differentiable vector fibre bundle, which is a Hilbert manifold, as an open set in the Hilbert space according to [2] .

§1 - Take a Hilbert manifold and ξ^n a vector fibre bundle. We can assume it differentiable because if not, there is a differentiable bundle isomorphic to the first one (see [1]).

Let us consider a differentiable riemannian metric for ξ^n and let $B(\xi^n)$ the unit disk fibre bundle and $S(\xi^n)$ the sphere fibre bundle, $B(\xi^n)$ is a Hilbert manifold with boundary, whose boundary is $S(\xi^n)$. Up to a diffeomorphism which is fibre preserving $(B(\xi^n)\ S(\xi^n))$ is independent of the chosen riemannian metric. Denote by $T(\xi^n) = B(\xi^n)/S(\xi^n)$ the Thom space obtained by collapsing $S(\xi^n)$ to a point. We have $B(\xi^n) \to M$ respectively $S(\xi^n) \overset{p}{\to} M$, and also $M \overset{i}{\to} B(\xi)$ the 0-section. Denote the composition $M \overset{i}{\to} B(\xi^n) \to T(\xi^n)$ also by i. Define now $r : T(\xi^n) \to \sum S(\xi^n)$, remarking that $\sum S(\xi^n) = T(\xi^n)/i(M)$ is obtained collapsing to a point the 0-section in $T(\xi^n)$.

<u>Theorem 1.1</u>

Let M be a connected Hilbert manifold and ξ^n be a vector bundle. ξ^n is normal bundle of M in H if there exists a pair of countable CW-complexes (Y,X) and a homotopy equivalence $h : X \to S(\xi^n)$ such that $Y \cup_h B(\xi^n)$ (the space obtained attaching Y to $B(\xi^n)$ following h) is contractible.

<u>Definition</u>

1) Let M be a connected manifold and ξ^n be a vector bundle.

i- We will say ξ^n has a "nonzero crossection" (for short "crossection") if $p : S(\xi^n) \to M$ has a homotopy right inverse (this is equivalent to what is usually known to be a nonzero crossection because of the covering homotopy property of $S(\xi^n) \to M$).

ii- We will say ξ^n has a $\sum$ crossection if $\sum S(\xi^n) \overset{\sum p}{\to} \sum M$ has a homotopy right inverse.

2) A sequence $A \overset{j}{\to} B \overset{g}{\to} C$ of spaces of the homotopy type of CW-complexes, is called a weak trivial cofibration if there exists a homotopy equivalence $\theta : B \to A \vee C$ (union with base point) such that the diagram

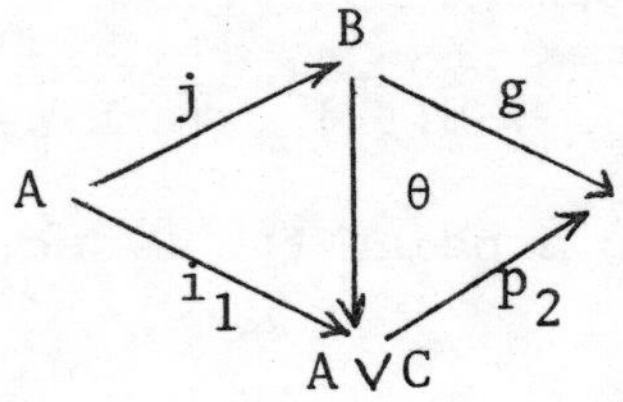

is homotopy commutative.

Corollary 1.2

If ξ^n is a normal vector bundle then

a) $T(\xi^n)$ has the homotopy type of a suspension ;

b) W_n , the n-Stiefel Whitney class, is zero and if ξ^n is orientable, $X(\xi^n)$ the Euler class is zero ;

c) $T(\xi^n) \overset{r}{\to} \sum S(\xi^n) \overset{\sum p}{\to} \sum M$ is a weak cofibration ;

d) ξ^n has a $\sum$-crossection (i.e. $\sum_p : \sum S(\xi^n) \to \sum M$ has a homotopy right inverse.

Corollary 1.3

a) The vector bundle $\varepsilon^1 + \xi^{n-1}$ on a Hilbert manifold M is a normal bundle (see also [4]) ;

b) The vector bundle $\xi = \xi_1^{n-k} + \xi_2^k$ on M is a normal bundle if ξ_1^{n-k} is a normal bundle ;

c) Suppose ξ^n , η^n two vector bundles which have the same fibre homotopy type. η^n is a normal bundle if ξ^n is.

Remark : The corollary 1.3 shows us there exists a lot of vector bundles which ARE normal bundles and the corollary 1.2 there exists a lot of vector bundles which ARE NOT normal bundles.

Let M be a 2-connected countable CW-complex. We say M has a 1-connected suspension structure (for short 1-c-s structure) if there exists a pair consisting of a 1-connected countable CW-complex T , and a homotopy equivalence, $h : M \to \sum T$. The pair (h,T) will define a 1-c-s structure for M .

Let $r : M \to \sum P$ a continuous map : We say r has a homotopy right inverse which is desuspendable with respect to a 1-c-s structure (h,T) , if there exists $\ell : P \to T$, such that $\sum \ell \cdot r$ is homotopic to h .

Theorem 1.4

Let ξ^n be a vector bundle over M , then ξ^n is a normal bundle for a closed imbedding of M .

a) for $n = 1$, if ξ^1 is trivial ;

b) for $n = 2$, and ξ^2 orientable, if ξ^2 is trivial ;

c) for $n \geq 3$, if $T(\xi^n)$ has a 1-c-s structure with respect to which r has a desuspendable homotopy right inverse.

Theorem 1.5

Let ξ^n be a vector bundle over the Hilbert manifold X of the homotopy type of a r-connected k-dimensional CW-complex, such that :

i-) $k \leq 2n-3$

ii-) $r \geq n-2 > 0$.

Then ξ^n is a normal bundle for a closed imbedding of M if $T(\xi^n) \to \sum S(\xi^n) \to \sum M$ is a weak trivial cofibration.

Before passing to the ideas of the proof of the stated results we would like to support the statements with examples. At the same time the picture 1 shows us the relation between different classes of vector bundles.

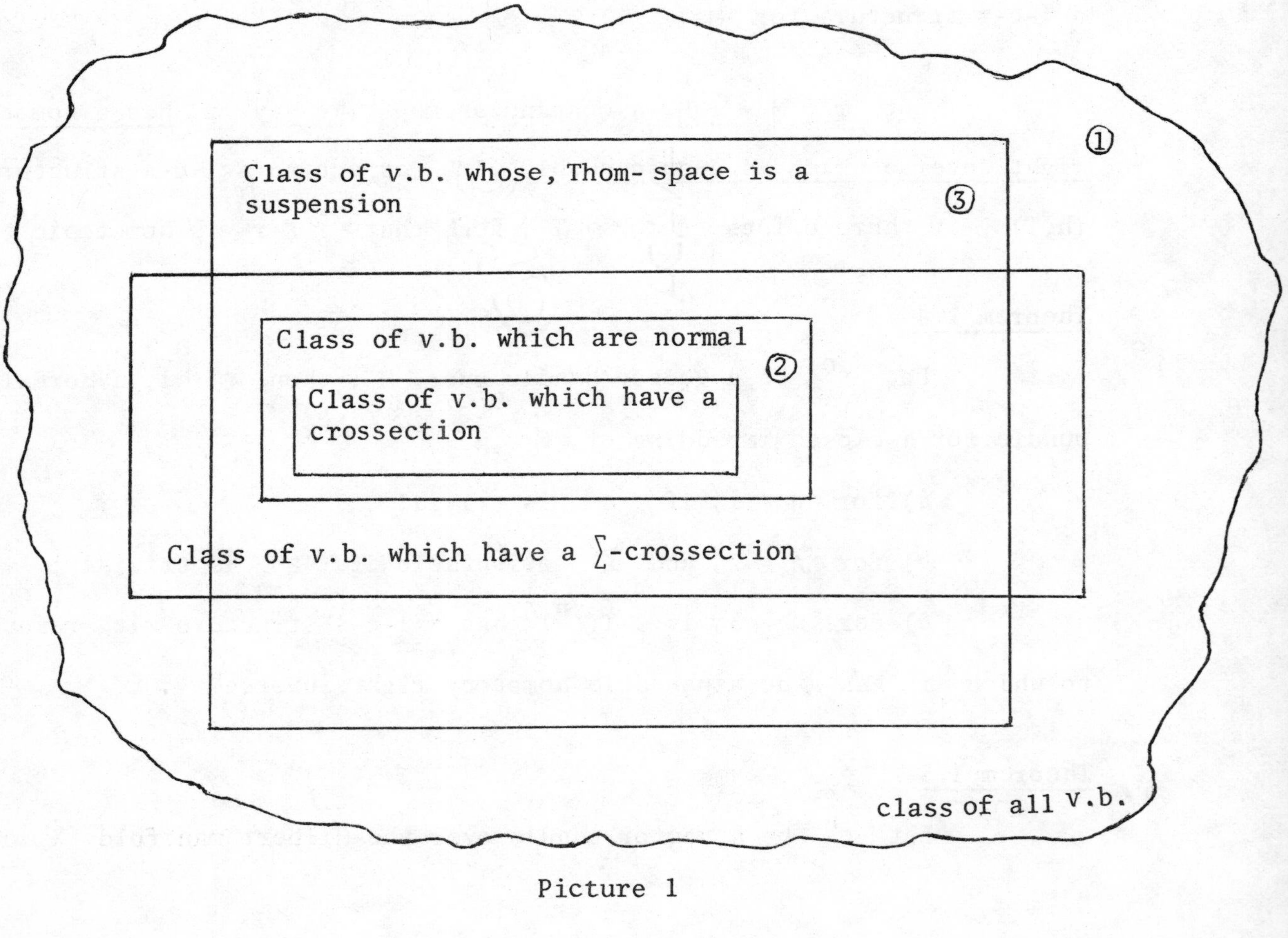

Picture 1

(1) Let GR_n , respectively GC_n , the Hilbert manifold of all n-dimensional subspaces or the real Hilbert space H , respectively the Hilbert manifold of the n-dimensional subspaces of the complex Hilbert space $C \otimes_R H$ (H being the real Hilbert space). There is the n-real Grassman manifold respectively n-complex Grassman manifold ; denote by ${}^R\xi^n$, ${}^C\xi^n$ the n-real universal vector bundle respectively n – complex universal vector bundle, which forgetting its complex structure becomes a 2n-real vector bundle ${}^C\dot{\xi}^n$ over a differentiable Hilbert manifold GC_n ($C \otimes_R H$ is diffeomorphic to H) ${}^R\xi^n$ and ${}^C\dot{\xi}^n$ can not be normal bundles for GR_n respectively GC_n because $W_n({}^R\xi^n) \neq 0$ respectively $c_n({}^C\xi^n)$, the n-Chern class = $\chi({}^C\dot{\xi}^n) \neq 0$.

(2) There exists a lot of vector bundles over a Hilbert manifold which are normal bundles but they have no crossection. We can consider a compact manifold M^n , imbedded in R^{n+k} $k > 1$ with normal bundle ν^k , which cannot be immersed in R^{n+k-1} .

Then, denoting by ξ^k the pull back of ν^k by the first projection $p_1 : M \times H \to M$, we get a vector bundle ξ^k which is a normal bundle for a closed imbedding (it is the normal bundle for $i \times id$: $M \times H \to R^{n+k} \times H = H$) but it has no crossection.

Of course supposing ξ^k has a crossection, ν^k has one and then according to Hirsch's theorem [5], M can be immersed in R^{n+k-1} . For example, $n = 4$, $k = 3$, $M^n = PC(2)$ is such a manifold as it was remarked by Novicov [7].

(3) According to the corollary 1.2a), ξ^n normal bundle for M, implies $T(\xi^n)$-the Thom space is a suspension. We will show there exists a lo vector bundles whose Thom-space is a suspension, but they are not normal bundles. Our example is a vector bundle ξ^4 over $S^9 \times H$, the pull back of the vector bundle ν^4 over S^9, by the first projection $p_1 : S^9 \times H \to S^9$.

As the 4-dimensional vector bundles over S^9 are completely classified by $\pi_8(O(4)) = \pi_8(SO(4))$ it will be sufficient to indicate it as an element of $\pi_8(SO(4))$. If we denote by S^3 the group of the unit quaternions $\{a + bi + cj + dk \mid \sqrt{a^2 + b^2 + c^2 + d^2} = 1\}$, we have an injective homomorphism $t : S^3 \to SO(4)$ defined as the multiplication of the quaternions by the quaternion $a + bi + cj + dk \in S^3$; t induces a split monomorphism for the homotopy groups, more precisely $t_* : \pi_8(S^3) = Z_2 \to \pi_8(SO(4)) = Z_2 \oplus Z_2$. We consider the vector bundle ν^4 defined by $t_*(\alpha)$, α being the generator of $\pi_8(S^3)$.

We can verify that $T(\nu^n)$, the Thom space of ν^4 is a suspension, hence $T(\xi^4)$ is a suspension, and $\sum S(\nu) \overset{\sum p}{\to} \sum S^9$ has not a homotopy right inverse hence $\sum S(\xi^4) \to \sum(S^9 \times H)$ hasn't; then according to corollary 1.2 c) ξ^4 is not normal.

The essential points in the verification consists in

a) Remark that $S(\nu^4) \underset{p}{\to} S^9$ is a principal fibre bundle with group S^3. This allows us to describe the Thom space of ν^4 i.e. the mapping cone of p, as a mapping cone of $S^{12} \overset{\beta}{\to} \sum S^3$ which being always a suspension implies $C_\beta = T(\nu^4)$ is a suspension.

b) the assumption $\sum S(\nu^4) \overset{\sum p}{\to} \sum S^9$ has a homotopy right inverse implies (looking at the homotopy description of $S(\nu^4)$) that $\sum\alpha = 0$ and then because $\pi_8(S^3) \to \pi_9(S^4)$ is injective this would imply $\alpha = 0$ which is of course impossible, hence $\sum p$ has no homotopy right inverse.

§ 2 - The following theorems will be useful in the proof of the announced results.

<u>Theorem 2.1</u>

[2], [3]. Let $h : M \to N$ be a homotopy equivalence of two Hilbert manifolds. Then h is homotopic to a diffeomorphism.

<u>Proof</u> : This has been shown for stable manifolds M [4] (i.e. $M \times H = M$). But according to [3], any manifold is diffeomorphic to an open set in Hilbert space, and according to [4] and [6] any open set in the Hilbert space is stable.

<u>Theorem 2.2</u>

1) Let A be a countable CW-complex. Then there exists a Hilbert manifold M homotopy equivalent to A .

2) Let (A,B) a pair of countable CW-complexes. There exists a Hilbert manifold with boundary of the same homotopy type of pairs as (A,B) .

<u>Proof</u> : 1) Suppose given a countable CW-complex A . We will construct a Hilbert manifold M with the same homotopy type as A . We will build this manifold attaching to every cell a handle, $D^{r_i+1} \times D^{\infty}$, r_i+1 being the dimension of the attached cell. Let us represent $A = \bigcup_{i=1}^{\infty} A_i$ where A_i are finite CW-complexes with i cells and $A_{i+1} = C_{r_{i+1}}$ the mapping cone of the characteristic map of the $(i+1)$-th cell attached to A_i for the getting of A_{i+1} . Suppose we have built a manifold with boundary M_i and a homotopy equivalence $t_i : M_i \to A_i$, such that $\partial M_i \subset M_i$ is also a homotopy equivalency. We will construct a Hilbert manifold with boundary M_{i+1} and a homotopy equivalency t_{i+1} . Take a homotopy inverse ℓ_i of t_i and take $h_i' = \ell_i \cdot f_i \ : S^{r_i} \to M_i$. Because $\partial M_i \subset M_i$, h_i' is homotopic to $h_i : S^{r_i} \to \partial M_i$ which can be supposed to be imbedding, according to first transversality theorem ([4], 3.2).

We construct M_{i+1} , attaching a handle $D^{r_i+1} \times D^{\infty}$ following a tubular neighborhood of the imbedding h_i (always coming from the trivial Hilbert vector bundle because of the contractibility of linear group of the Hilbert space).

We easily extend t_i to t_{i+1} , using the homotopy between $t_i h_i$ and f_{i+1} . The new manifold M_{i+1} is a Hilbert manifold with boundary (after the rounding of the corners) and $\partial M_{i+1} \subset M_{i+1}$ is a homotopy equivalency $M_{i+1} = M_i \cup_{\tilde{h}_i} D^{r_i+1} \times D^{\infty}$ is retractable to $\partial M_i \cup D^{r_i+1} \times D^{\infty}$

which is retractable to $(\partial M_i \cup D^{r_i+1} \times D^\infty) \setminus (D^{r_i+1} \times \text{Int } D^\infty) = \partial M_{i+1}$ (after the rounding of the corners). $\tilde{h}_i$ denotes the extension to $S^{r_i} \times D^\infty$ of h_i . At the end we get

$$\begin{array}{ccccccc} A_i & \subset & A_{i+1} & \subset & A_{i+2} & \subset & \cdots\cdots \\ \uparrow t_i & & \uparrow t_{i+1} & & \uparrow t_{i+2} & & \\ M_i & \subset & M_{i+1} & \subset & M_{i+2} & \subset & \cdots\cdots \end{array}$$

Take $M = \varinjlim \text{Int } M_i \subset \text{Int } M_{i+1}$ and $t : M \to A$ which becomes a homotopy equivalency. To finish the proof of this step remark : $A_0 = \{p\}$ (a 0-cell) we take $M_0 = D^\infty$. Of course ∂D^∞ is a deformation retract of D^∞ .

<u>Remark</u> : We can construct M_i , such that $M_i \subset M'_{i+1}$ which is obtained as before was obtained M_{i+1} , and take $M_{i+1} = M'_{i+1} \cup_\alpha \partial M'_{i+1} \times [0,1]$ $\alpha = id : \partial M'_{i+1} \to \partial M'_{i+1} \times \{0\}$. Then, as in finite dimensional case, we can construct a function $f : M \to [0,\infty)$, which is a m-function with respect to a riemannian metric ρ , such that $\{M_i\}$ is just his handle decomposition : more precisely

1) $f^{-1}[0,1] = M_i$

2) the critical points of f are the centers 0×0 of the handles $D^{r_i+1} \times D^\infty$ and the indexes of this centers, $r_i + 1$.

2) We will regard B , as obtained attaching cells to A .

Let us present B as $\lim\limits_{\rightarrow} B_i$, $A = B_0 \subset B_1 \subset B_2 \ldots \subset B_i \subset \ldots$, where B_{i+1} is obtained from B_i attaching a cell, more precisely B_{i+1} appears as a mapping cone for the characteristic map of the attached cell.

Let us suppose we constructed a manifold with boundary M_i , whose boundary has two components $\partial_0(M_i)$ and $\partial_1(M_i)$ and a continuous map $s_i : (M_i, \partial_0(M_i)) \rightarrow (B_i, A)$ which is a homotopy equivalency of pairs. Suppose more $\partial_1(M_i)$ is a deformation retract of M_i . In a similar way as before we can construct a new manifold with boundary M_{i+1} whose boundary ∂M_{i+1} has also two components $\partial_0 M_{i+1} = \partial_0 M_i$ and $\partial_1 M_{i+1}$, $\partial_1 M_{i+1}$ being a deformation retract of M_{i+1} , and a homotopy equivalency of pairs $S_{i+1} : (M_{i+1}, \partial_0 M_{i+1}) \rightarrow (B_{i+1}, A)$ which extends S_i . Similarly taking the limit of $S_i : (M_i \setminus \partial_1 M_i, \partial_0 M_i) \rightarrow (B_i, A)$ one gets $S : (M', \partial M = \partial_0 M) \rightarrow (B, A)$ a homotopy equivalency. But for A , we know to construct a manifold M and a homotopy equivalency t ; take then $M_0 = M \times [0,1]$ and S_0 the composition

$$M \times [0,1] \xrightarrow{i \times id} A \times [0,1] \xrightarrow{P_2} A .$$

<u>Remark</u> : As in the case 1, we can construct a m function $f : M \rightarrow [0,\infty)$ $(f^{-1}(0) = \partial M)$ with respect to a complete riemannian metric, such that the handle decomposition is just $\{M_i\}$.

§ 3 - <u>Proof of the theorem 1.1</u>

Suppose ξ^n is a normal vector bundle for a closed imbedding. Take a closed tubular neighbourhood with respect to the riemannian metric induced by the closed imbedding, denote it by T and its boundary by ∂T. Of course $(T,\partial T)$ is diffeomorphic to $(B(\xi^n),S(\xi^n)) = (B(\xi^n),\partial B(\xi^n))$. Take $N = H\setminus \mathrm{Int}\ T$ and then $\partial N = \partial T$. $(M,\partial M)$ is a Hilbert manifold with boundary and it is very well known it has the homotopy type of a pair of countable CW-complexes (B,A) i.e. there exists a homotopy equivalency $h : (B,A) \to (N,\partial N)$ [8]. Let us consider $A \to \partial M = \partial T \overset{\theta}{\to} S(\xi^n)$. Of course, $B \cup_h B(\xi^n)$ has the same homotopy type as $N \cup_\theta B(\xi^n) = N \cup T = H$.

Suppose now we have $h : A \to S(\xi^n)$. Let us consider a Hilbert manifold with boundary $(N,\partial N)$, which is homotopy equivalent to (B,A) by m, according to the theorem 22 2). Suppose ξ^n is a differentiable vector bundle (*). Then $hm : \partial N \to S(\xi^n)$ is a homotopy equivalency of Hilbert manifolds, and according to the theorem 2.1, it is homotopic to a diffeomorphism ℓ. $(N,\partial N)$ has the extension homotopy property, $N \cup_{h.m} B(\xi^n)$ and $N \cup_\ell B(\xi^n)$ are homotopy equivalent (ℓ and hm are homotopic) hence $N \cup_\ell B(\xi^n)$ is contractible. But because ℓ is a diffeomorphism, $N \cup_\ell B(\xi^n)$ is a differentiable manifold. Hence $N \cup_\ell B(\xi)$ is diffeomorphic to H by the theorem 2.1. Consequently M is imbedded in $N \cup_\ell B(\xi)$ with ξ as normal bundle.

<u>Proof of the corollary 1.2</u> :

a) follows ,remarking $T(\xi^n) = B(\xi^n)/S(\xi^n) = H/H\setminus \mathrm{Int}\ B(\xi^n)$ which has the same homotopy type as CN/N where CN denotes the cone over N, and N its bottom. (N being the complement of $\mathrm{Int}\ B(\xi)$ in H).

(*) Any vector bundle over a Hilbert manifold is isomorphic to a differentiable vector bundle [2].

b) follows from definition of W_n and $\chi(\xi^n)$ as inverse image by the Thom isomorphism of U^2, where U denotes the fundamental class of ξ^n lying in $H^n(T(\xi^n),Z_2)$ (respectively in $H(T(\xi^n),Z)$ if ξ^n is orientable) and from the well-known fact that all cupproducts in the cohomology of a suspension are zero,

c) We consider the following commutative diagram :

$$\begin{array}{lccccccccc}
\text{i)} & S(\xi^n) & \longrightarrow & B(\xi^n)\cup N & \longrightarrow & T(\xi^n)\vee N/\partial N & \xrightarrow{m} & \sum S(\xi^n) & \longrightarrow & \sum H \\
& \Vert & & \uparrow i & & \uparrow i_1 & & \Vert & & \\
\text{ii)} & S(\xi) & \longrightarrow & B(\xi^n) & \longrightarrow & T(\xi^n) & \longrightarrow & \sum S(\xi^n) & \xrightarrow{\sum p} & \sum M \\
& & \searrow^{p} & \uparrow & & & & & & \\
& & & M & & & & & &
\end{array}$$

where i) and ii) are the Puppe sequences.

Because H is contractible, m is a homotopy equivalency.

Let us consider then :

$$\begin{array}{ccccc}
T(\xi) & \xrightarrow{r} & \sum S(\xi) & \xrightarrow{\sum p} & \sum M \\
& \searrow^{i} & \downarrow m^{-1} & & \\
& & T(\xi)\vee N/\partial N & \longrightarrow & N/\partial N
\end{array}$$

where m^{-1} is a homotopy inverse of m. Because $T(\xi) \xrightarrow{i} T(\xi)\dot{\vee} N/\partial N$ has the extension property we can construct a homotopy equivalency $S : N/\partial N \to \sum M$ such that

$$\begin{array}{ccccc} T(\xi) & \longrightarrow & \sum S(\xi) & \longrightarrow & \sum M \\ & \searrow & \uparrow m & & \uparrow S \\ & & T(\xi)\vee N/\partial N & \longrightarrow & N/\partial N \end{array}$$

is homotopy commutative, and then a homotopy equivalency : $\theta : \sum S(\xi) \to T(\xi) \vee M$, such that

$$\begin{array}{ccccc} T(\xi) & \longrightarrow & \sum S(\xi) & \longrightarrow & \sum M \\ & {\scriptstyle i_1}\searrow & \downarrow \theta & \nearrow {\scriptstyle p_2} & \\ & & T(\xi) \vee \sum M & & \end{array}$$

is homotopy commutative. This proves c) and d) as obvious consequence of d).

<u>Proof of the corollary 1.3 b)</u> :

Take $\xi_1^n \oplus \xi_2^k$, $B(\xi_1^n \oplus \xi_2^k)$ and $B(\xi_1^n) \subset B(\xi_1^n \oplus \xi_2^k)$. $B(\xi_1^n)$ is a deformation retract of $B(\xi_1^n \oplus \xi_2^k)$. We have also $S(\xi_1^n)$ closed imbedded in $S(\xi_1^n \oplus \xi_2^k)$. Because ξ_1^n is a normal fibre bundle for a closed imbedding, there exists the pair (B,A) and the homotopy equivalence , $t : A \to S(\xi_1^n)$ such that $B \cup_t B(\xi_1^n)$ is contractible.

Take now $\tilde{B} = B \cup_t S(\xi_1^n \oplus \xi_2^k)$ and $\tilde{A} = A \cup_t S(\xi_1^n \oplus \xi_2^k)$. (B,A) is not a pair of a countable CW-complexes but it can be replaced by such a pair, because $\tilde{A}$ has the homotopy type of a countable CW-complex. ($\tilde{A}$ is homeomorphic to $S(\xi_1^n \oplus \xi_2^k)$, a Hilbert manifold which has always the homotopy type of a countable CW-complex [6]). Take $id : \tilde{A} = S(\xi_1^n \oplus \xi_2^k) \to S(\xi_1^n \oplus \xi_2^k)$. Of course $\tilde{B} \cup B(\xi_1^n \oplus \xi_2^k)$ being a deformation retract of $B \cup_t B(\xi_1^n)$ it is contractible and according to the theorem 1.1 we conclude our result.

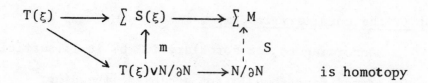

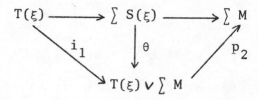

<u>Proof of the corollary 1.3, a)</u> :

According to the corollary 1.3 b) it is sufficient to prove ε^1 is a normal fibre bundle for a closed imbedding.

Take A_0 a countable CW-complex with the homotopy type of M, and $t_0 : A_0 \to M$. Put A the disjoint union of two copies of A, and B the disjoint union of CA_0 and A_0, A represent in B the disjoint union of the base of CA and A.

Take $t : A = A_0 \cup A_0 \to S(\xi) = M \cup M$ (a disjoint union of two copies of M) defined by t_0 on every A_0.

$A \cup_t B(\varepsilon^1)$ is of course, contractible, hence according to the theorem 1.1 the result follows.

<u>Proof of the corollary 1. 3 c)</u> :

1) Suppose η^n is a normal bundle for a closed imbedding of M. Then according to the theorem 1.1, there exists the pair of countable CW-complexes (Y,X) and the homotopy equivalence $h : X \to S(\eta)$, such that $Y \cup_h B(\eta)$ is contractible.

Remark that the hypothesis implies $(B(\xi), S(\xi))$ is homotopic equivalent to $(B(\eta),S(\eta))$ suppose by $k : (B(\eta),S(\eta)) \to B(\xi),S(\xi))$. Then $Y \cup_{k.h} B(\xi)$ where $k.h|_{S(\eta)}$ is a homotopy equivalence,is contractible because $Y \cup_h B(\xi)$ is contractible, hence according to the theorem 1.1 the result follows.

We will not give the proof at the theorem 1.4 and 1.5. These ones need some special results in homotopy theory [1].

Bibliography

[1] Berstein, I., Hilton, P., On suspensions and comultiplications, Topology, vol. 2 (1963), pp. 73-82. (See also T. Ganea, Lusternik-Snirelman category and strong category, Ill. J. of Math. vol. 11, No 3 (1967), pp. 417-427).

[2] Eells, J., A setting for global analysis, Bull. A.M.S. 72 (1966), pp. 211-217.

[3] Eells, J. & Elworthy, D., Open imbeddings of certain Banach manifolds (announcement : On the differentiable topology of Hilbert manifolds, Proc. Summer Inst. on Global Analysis, Berkeley, 1968).

[4] Burghelea, D. & Kuiper, N., Hilbert manifolds, Ann. of Math., Nov. 1969.

[5] Hirsch, M., Immersions of manifolds, Trans-Am. Math. Soc. 93 (1959), pp. 242-276.

[6] Moulis, N., Sur les variétés hilbertiennes et les fonctions non dégénérées, Indag. Math. 30 (1968), pp. 497-511.

[7] Novicov, S.P., O ΛETHEM, Tom XX 1 (121) - 1965.

[8] Palais, R., Homotopy theory of infinite dimensional manifolds, Topology 5 (1966), pp. 1-16.

[9] Toda, M., Composition methods in Homotopy groups of spheres, Princeton Univ. Press, 1962.

[10] Burghelea, D., Diffeomorphisms for Hilbert manifolds and handle decomposition, B.A.M.S., March 1970.

DIFFEOMORPHISMS FOR HILBERT MANIFOLDS AND HANDLE DECOMPOSITION

by
Dan BURGHELEA

This lecture is a pretty similar form of the Note : Diffeomorphisms for Hilbert manifolds and handle decomposition, B.A.M.S., March 1970.

§0 In this lecture I will try to sketch a more topological way to develope the differentiable topology of Hilbert manifolds, namely to consider an appropriate handle body theory for Hilbert manifolds which can not be necessarily associated to a "m-function". The main theorems which can be obtained in this way are :

A) Any Hilbert manifold M is stable (see Kuiper's lectures or [2]).

B) Two homotopic diffeomorphisms are isotopic.

The both theorems needs "outside of the theory" only the Eells-Elworthy theorem "any Hilbert manifold is diffeomorphic to an open set of the Hilbert space and the Kuiper-Burghelea theorem [2]" two homotopy equivalent stable Hilbert manifolds (possible with boundary) are diffeomorphic. The last theorem is elementary, so it can be considered "inside" the theory.

For a possible axiomatic approach, or extension to Banach spaces I would like to point out the main properties of the Hilbert space which allows us to get the stated theorems.

1) H has a norm C^{∞} differentiable.
2) $H \times R$ is isomorphic to H (R - the real line).
3) $H \times H$ is isomorphic to H.
4) $GL(H)$ with the norm topology is contractible (Kuiper) (see the Kuiper's lectures).
5) H is diffeomorphic to $H \setminus \{0\}$ by a diffeomorphism identity outside the unit disc (Bessaga) (see the Kuiper's lectures).

§1 (1) In this lecture, a Hilbert manifold (h-manifold) with or without boundary is always hausdorff, paracompact, separable, C^∞-differentiable and with the infinite dimensional separable Hilbert space H as local model.

Let $M(M,\partial M)$ be an h-manifold (with boundary), $X(X,\partial X)$, an h-manifold or finite dimensional manifold (with boundary).

(a) A closed imbedding $\phi : X \to M(\phi : (X,\partial X) \to (M,\partial M)$ is a C^∞-injective map $\phi : X \to M$, such that the differential $d*\phi(x)$ is injective for any x, and $\phi(M)$ is closed (for the case with boundary we ask more, $\phi^{-1}(\partial M) = \partial M$ and ϕ is transversal to ∂M in ∂M).

(b) A closed tubular neighborhood of a closed imbedding of infinite codimension, $\phi : X \to M$, $(\phi : (X,\partial X) \to (M,\partial M))$ is a closed imbedding $\mathfrak{F} : X \times D^\infty \to M(\mathfrak{F} : (X,\partial X) \times D^\infty \to (M,\partial M))$ which extends to an open imbedding $\overline{\phi} : X \times H \to M(\overline{\phi} : (X,\partial X) \times H \to (M,\partial M)$ with $\overline{\phi}^{-1}(\partial M) = \partial X \times H)$.

<u>Remarks</u>. (1) Any closed imbedding of infinite codimension has closed tubular neighborhoods [3].

(2) For $\mathfrak{F}_1$ and $\mathfrak{F}_2$ two closed tubular neighborhoods of a closed imbedding $\phi : X \to M(\phi : (X,\partial X) \to (M,\partial M))$, there exists an isotopy $h_t : M \to M$, $(h_t : (M,\partial M) \to (M,\partial M))$, $0 \leq t \leq 1$, such that $h_0 = id$, $h_1 : \phi = \phi$ and $h_1 \cdot \mathfrak{F}_1 = \mathfrak{F}_2$ [2, Theorem 4.1]. By an isotopy as in [2], we mean a level preserving C^∞-diffeormorphism $h : M \times I \to M \times I$, $(h : (M,\partial M) \times I \to (M,\partial M) \times I)$, i.e. $h(x,t) = (h_t(x), t))$.

(c) Let $M(M,\partial M)$ be an h-manifold (with boundary) ; A closed imbedded submanifold with boundary $(A,\partial A)$, such that $A \subset \text{Int } M$ and $A \setminus \partial A$ is open submanifold of M , is called a zero-codimensional closed submanifold (0-c-submanifold).

The o-c-submanifold $(B, \partial B)$ is called a collar neighborhood of the o-c-submanifold $(A, \partial A)$, if $A \subset \text{Int } B$ and $(B \setminus \text{Int } A, \partial (B \setminus \text{Int } A))$ is diffeomorphic to $(\partial A \times [0, 1], \partial A \times \partial [0, 1])$.

Remarks

1) For any o-c-submanifold $(A, \partial A)$ of M $(M, \partial M)$, there exist collar neighborhoods.

2) Suppose $(A_1, \partial A_1)$, $(A_2, \partial A_2)$, $(A_3, \partial A_3)$, o-c-submanifolds of M $(M, \partial M)$, such that $(A_{i+1}, \partial A_{i+1})$ is a collar neighborhood of $(A_i, \partial A_i)$. There exists an isotopy $h_t : M \dashrightarrow M$ $(h_t : (M. \partial M) \longrightarrow (M, \partial M)$ such that $h_0 = \text{id}$, $h_t \mid_{A_1} = \text{id}$ and $h_1 (A_2) = A_3$.

d) Let $(M, \partial M)$ be an h-manifold with boundary. A collar neighborhood of ∂M is a closed submanifold $(V, \partial V)$ with $\partial V = \partial_0 V \cup \partial_1 V$ (disjoint union), $\partial_0 V = \partial M$, $\partial_1 V \subset \text{Int } M$, Int V open submanifold of Int M, such that there exists a diffeomorphism $\theta : (V, \partial V) \longrightarrow (\partial M \times [0, 1], \partial M \times \partial [0, 1])$.

Remarks

1) Given $(M, \partial M)$, there exist collar neighberhoods of ∂M

2) Supposing $(V_1, \partial V_1)$, $(V_2, \partial V_2)$, $(V_3, \partial V_3)$ such that $V_i \subset V_{i+1} \setminus \partial_1 V_{i+1}$, there exits an isotopy $h_t : (M, \partial M) \longrightarrow (M, \partial M)$ with $h_0 = \text{id}$, $h_t \mid V_1 = \text{id}$, $h_1 (v_2) = V_3$.

e) Let $(M, \partial M)$ be an h-manifold with boundary $(X, \partial X)$ an h-manifold or a finite dimensional manifold with boundary, $\phi : (X, \partial X) \longrightarrow (M, \partial M)$ a closed imbedding of infinite codimension, $\tilde{\phi}$ a closedtubular neighborhood, $(V, \partial V)$ a collar neighberhood of ∂M, and $\theta : (V, \partial V) \longrightarrow (\partial M \times [0, 1], \partial M \times [0, 1])$ a diffeomorphism.

1) ϕ is called transversal to (V, θ) if θ is a diffeomorphism of pairs $(V, \phi(X) \cap V) \longrightarrow (\partial_0 M \times [0, 1], \phi(\partial X) \times [0, 1])$.

2) $\tilde{\phi}$ is called transversal to (V, θ), with respect to the extension $\tilde{\tilde{\phi}}$, if θ is a diffeomorphism of pairs $(V, \tilde{\tilde{\phi}}(X \times H) \cap V) \longrightarrow$ $(M \times [0, 1], \tilde{\tilde{\phi}}(\partial X \times H) \times [0, 1])$.

If $\theta : (V, \partial V) \longrightarrow (\partial M \times [0, 1], \partial M \times \partial [0, 1])$ is our collar neighborhood, for any a, $0 < a < 1$ we denote by aV and $a\theta$, $\theta^{-1}(\partial M \times [0, a])$ respectively $\nu_a \cdot \theta$, where ν_a is the diffeomorphism $\nu_a : \partial M \times [0, a] \longrightarrow \partial M \times [0, 1]$ defined by $\nu_a(x, s) = (x, \frac{s}{a})$. For short $(aV, a\theta)$ will be denoted by $a(V, \theta)$; it is a collar neighborhood of ∂M.

Proposition 1.1:

If $(M, \partial M)$ is an h-manifold with boundary, $(X, \partial X)$ a finite dimensional manifold, union of at most countably many compact connected components, $\phi : (X, \partial X) \longrightarrow (M, \partial M)$ a closed imbedding, $\tilde{\phi}_1$, $\tilde{\phi}_2$ two closed tubular neighborhoods which extend to the open imbeddings $\tilde{\tilde{\phi}}_1$, $\tilde{\tilde{\phi}}_2$, (V, σ) a collar neighborhood such that the $\tilde{\phi}_i$ are transversal to (V, σ) with respect to $\tilde{\tilde{\phi}}_i$ and $\tilde{\tilde{\phi}}_1 / \tilde{\tilde{\phi}}_1^{-1}(V) = \tilde{\tilde{\phi}}_2 / \tilde{\tilde{\phi}}_1^{-1}(V)$, then for any $0 \leq a \leq 1$ there exists an isotopy $h_t : (M, \partial M) \longrightarrow (M, \partial M)$ such that

i) $h_0 = id$

ii) $h_t / \partial V \cup \phi(X) = id / \partial V \cup \phi(X)$

iii) $h_1 \tilde{\phi}_1 = \tilde{\phi}_2$.

The theorem is also true for any finite dimensional or h-manifold X and closed imbedding of infinite codimension. The proof is quite the same as of Theorem 4.1 [2].

f) A handle decomposition of M, $(M, \partial M)$, is a sequence of o-c-submanifolds $(A_1, \partial A_1)$ (for the case with boundary, closed submanifolds $(A_i, \partial A_i)$ with $\partial A_i = \partial_0 A_i \cup \partial_1 A_i$, $\partial_0 A_i = \partial M$ and Int A_i is open submanifold of Int M) with the following properties:

i) $A_i \subset A_{i+1} \setminus \partial A_{i+1}$ for the case with boundary $A_i \subset A_{i+1} \setminus \partial_1 A_{i+1}$.

ii) There exists a closed imbedding $\phi_n : \bigcup_{j=1}^{K} D_j^{n+1} \longrightarrow (A^n, \partial A^n)$, $A^n = \text{Int } M \setminus \text{Int } A_n$ with $\phi_n (\bigcup_{j=1}^{K} D_j^{n+1}) \subset \text{Int } A_{n+1} \setminus \text{Int } A_n$ (K being a positive integer or the symbol ∞) and a closed tubular neighborhood $\tilde{\phi}_n : \bigcup_{j=1}^{K} D_j^{n+1} \times D^\infty \longrightarrow (A^n, \partial A^n)$ such that $A'_{n+1} = A_n \cup \tilde{\phi}_n (\bigcup_{j=1}^{K} D_j^{n+1} \times D^\infty)$ with rounded corners, has A_{n+1} as collar neighborhood.

g) An h-manifold (with boundary) M $(M, \partial M)$, is called stable if it is diffeomorphic to $M \times H$ $(M \times H, \partial M \times H)$.

Proposition 1.2:

Let M $(M, \partial M)$ be an h-manifold (with boundary). The following assertions are equivalent:

i) M, $(M, \partial M)$ is stable.

ii) M, $(M, \partial M)$ has a handle-decomposition.

To prove the proposition, one uses the tools of [2], § 7, and Proposition 1.1.

h) Let $(X, \partial X)$ be a finite dimensional manifold, union of at most countably many compact connected components, and $f : \partial X \longrightarrow \partial M$ a closed imbedding, $(M, \partial M)$ being an h-manifold with boundary.

Proposition 1.3:

i) If $\bar{f}' : X \longrightarrow M$ is a continuous extension of $f: \partial X \longrightarrow \partial M \subset M$ there exists a closed imbedding $\bar{f} : (X, \partial X) \longrightarrow (M, \partial M)$ such that $\bar{f}$ and $\bar{f}'$ are homotopic relative to ∂X.

ii) If (V, θ) is a collar neighborhood of ∂M, f_1 and f_2 are two closed imbedding extending f, homotopic relative to ∂X and transversal to (V, θ), $0 \leq a < 1$, then there exists an isotopy of closed imbeddings f_t such that $f_t = f_1 = f_2 \,/\, f_1^{-1} (a\, V)$ and f_t is transversal to $a\,(V, \theta)$ for any t.

iii) Moreover there exists an isotopy $h_0 : M \longrightarrow M$ such that $h_0 = id$ and $h_t \cdot f_1 = f_t$.

This proposition is a very important tool in our general handle decomposition method.

i) Let M, be an h-manifold and $(A_1\ \partial A_1)$, $(A_2, \partial A_2)$, $(A_3, \partial A_3)$ be there o-c-submanifolds $A_1 \subset \mathrm{Int}\ A_2$, $A_1 \subset \mathrm{Int}\ A_3$. Denote by $A^i = M \setminus \mathrm{Int}\ A_i$.

Proposition 1.4:

Suppose there exist a closed imbedding

$f : \bigcup_{j=1}^{K} (D_j^{r_j}, \partial D_j^{r_j}) \longrightarrow (A^1, \partial A^1, A^1)$, $r_j \leq n$ (K being a positive integer on the symbol ∞) and $\tilde{f} : \bigcup_{j=1}^{K} D^{r_j} \times D^{\infty} \longrightarrow (A^1, \partial A^1)$ a closed tubular neighborhood such that $A_2, \partial A_2)$ is a collar neighborhood of $(A_2', \partial A_2')$ $(A_2' = A_1 \cup \tilde{f}(\bigcup_{j=1}^{K} D_j^{r_j} \times D^{\infty})$ with rounded corners) and suppose $\pi_i (A_3, A_1) \longrightarrow \pi_i (M, A_1)$ is an epimorphism for $i \leq n$.

Then there exists an isotopy $\phi_i : M \longrightarrow M$ such that $\phi_0 = id$, $\phi_t = id / A_1$ and $\phi_1 (A_2) \subset \mathrm{Int}\ A_3$.

This proposition is an easy consequence of Proposition 1.4. Using the handle decomposition one can give an easier proof of the following theorem[2].

Theorem 1.5:

Any open set U in the Hilbert space H is a stable manifold, i.e. U is diffeomorphic to $U \times H$ (hence because of [1], any Hilbert manifold is stable).

Proof (sketch):

Suppose $0 \in H$ contained in U, $e_1, \ldots, e_n$, an orthonormal basis of H and R^k the finite dimensional subspaces generated by $e_i, \ldots, e_k$. $U_k = U \cap R^k$ are closed submanifolds of U of finite dimension. One can find a C^∞ - function $\rho : U \rightarrow R_+$ such that for any point x, the ball centered in x, of radius $\rho(x)$, is contained in U. For any $a < 1$ on defines $B_{n,a}$ the closed tubular neighborhood of U_n of radius $a\,\rho\,(x)$ which is a stable manifold with boundary, hence $B_{n,a} = B_{n,a} \times H$.

Denote by $V_1, \ldots V_k \ldots$ the manifolds $B_{1,\rho/2} \ldots ; B_{k}, (\frac{1}{2} + \ldots \frac{1}{2^k})\,\rho$, and remark $V_k \subset \text{Int}\, V_{k+1}$ and $\bigcup_k \text{Int}\, V_k = U$. Because V_k is stable, V_{k+1} is a o-c-submanifold of U which can be obtained adding handles of dimension $\leq k+1$ to V_k. Combining with Proposition 1.4 we can find a sequence of Hilbert manifolds L_k, L_k openly imbedded in L_{k+1}, and a sequence of diffeomorphisms h_k, such that the diagram is commutative

$$\begin{array}{ccccc} \text{Int } V_k & \subset & \text{Int } V_{k+1} & \subset & \cdots \\ \big\downarrow h_k & & \big\downarrow h_{k+1} & & \\ L_K \times H & \subset & L_{K+1} \times H & \subset & \cdots \end{array}$$

Theorem 1.6:

If (M, ∂M) *is a Hilbert manifold with boundary whose boundary has the homotopy type of a finite dimensional* CW-*complex*, (M, ∂M) *is stable*.

This theorem is a consequence of 1.2, 1.4 and 1.5.

j) Lemma 1.7:

There exists a diffeomorphism $\nu : H \longrightarrow H \times H$ *such that* $\nu(D^{\infty}) = D^{\infty} \times H$.

(Essentially proved in [2], §2.)

k) A diffeomorphism $\ell : M \times H \longrightarrow M \times H$ is called stable if $\ell = t \times \mathrm{id}$ where t is a diffeomorphism of M.

Theorem 1.8:

Any diffeomorphism $\phi : M \times H \longrightarrow M \times H$ *is isotopic to a stable diffeomorphism.*

This theorem is the crucial step of our paper. It is an inductive consequence of Lemma 1.9 combined with Proposition 1.2.

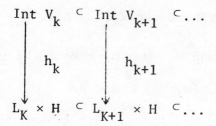

Let M be a Hilbert manifold $\{(A_n, \partial A_n)_{n=1, 2, \ldots}\ (\phi_n, \tilde{\phi}_n)_{n=1, 2, \ldots}$ a handle decomposition and $\ell : M \times H \longrightarrow M \times H$ be a diffeomorphism, $\ell(x, v) = (\ell^1(x, v), \ell^2(x, v)) \in M \times H$.

Lemma 1.9:

Suppose ℓ verifies the following conditions:

$i_n)$ $\ell^1(x, v) = \ell^1(x, 0)$, $\ell^2(x, v) = v$ for any $x \in {}'A_n$, $v \in H$ where $({}'A_n, \partial\, {}'A_n)$ is a collar neighborhood of $(A_n, \partial A_n)$.

$ii_n)$ $\ell^1(A_k \times 0) \subset \mathrm{Int}\, A_k \times 0$ for any $k \leq n-1$, and $\ell^1(A_n \times 0) \subset {}'A_n \times$

$iii_n)$ $\ell^1(A_k \times 0) \supset A_{k-1} \times 0$ for any $k \leq n$.

Then, given $({}'A_{n+1}, \partial\, {}'A_{n+1})$ a collar neighborhood of $(A_{n+1}, \partial A_{n+1})$ there exists an isotopy ℓ_t such that:

1) $\ell_t = \ell$ on $A_{n-1} \times H$, $\ell_0 = \ell$.

2) $i_{n+1})$, $ii_{n+1})$, and iii_{n+1} are verified.

3) $\ell_t = \ell$ for $0 \leq t \leq \frac{1}{3}$, $\ell_1 = \ell_1$ for $\frac{2}{3} \leq t \leq 1$.

To get 1) we need the remarks b), c), d), Propositions 1.1, 1.3, and Lemma 1.7. to get 2) we need more, Proposition 1.5.

§ 2 a) Proposition 2.1:

Let $\ell : M \times H \longrightarrow M \times H$ be a diffeomorphism such that $\ell / M \times 0 = \mathrm{id}$. Then ℓ is isotopic to the identify.

The proof uses the contractibility of the general linear group of H. Hirsch's lemma (3.1, [2]):

Let [b, c] and [a, e] two closed intervals with $a < b < c < e$ and $F: A \times [a, e] \longrightarrow B \times [a, e]$ be an isotopy of closed imbedding (a level preserving closed imbedding) between A, B Hilbert manifolds, with paremeter $t \in [a, e]$.

If $F_1 : A \times [a, e] \longrightarrow B$ is an imbedding where $F(x, t) = (F_1(x, t), t)$, then there exists an ambient isotopy $G : B \times [b, c] \longrightarrow B \times [b, c]$ (of diffeomorphisms of B) such that $G(F_1(x, t), t) = F(x, t)$, for $(x, t) \in A \times [b, c]$.

Theorem 2.2:

Let $q : M \longrightarrow M$ be a diffeomorphism homotopic to the identity; then $q \times id : M \times H \longrightarrow M \times H$ is isotopic to the identity.

The proof is a consequence of Proposition 2.1, of the Hirsch Lemma, and of the close imbeddability of M in S^∞ with infinite dimensional normal bundle.

b) Theorem 2.3:

Two homotopic diffeomorphisms $h_i : M \longrightarrow M$, $i = 1, 2$ are isotopic.

Proof:

Of course, it is sufficient to prove our assertion in the case $h_o = id$

According to Theorem 1.5 we can suppose $M = M \times H$. Then the theorem can be obtained combining Theorems 1.8 and 2.2.

Remark.

Theorem 2.3 is not true for Banach manifolds, not even for parallelizable Banach manifolds. For instance, for the manifold $\ell_2 \oplus c_o$, considered as $\ell_2 \oplus c_o$ - manifold Douady, constructed two linear isomorphisms which are not isotopic by linear isomorphism. Supposing these were isotopic by diffeomorphisms, a standard trick (taking Jacobians) would give an isotopy by linear isomorphisms.

<u>Corollary</u>: (Observed by N. Kuiper.) The complement of any closed connected C^∞-hypersurface M of Hilbert space has two components.

<u>Proof</u>: The normal bundle of the connected submanifold of codimension one in H is trivial by Burghelea's theorem.

Let $\overline{U} = M \times [-1,1]$ be a closed tubular neighborhood of M in H. Let V be the complement of $\overline{U}$, $V = H \backslash \overline{U}$ and $\overline{V}$ its closure. Then we have a commutative diagram:

$$\begin{array}{ccccccccccccc}
 & & 0 & & & & & & Z & & & & \\
 & & \| & & & & & & \| & & & & \\
 & & H_1(H) & \longrightarrow & H_1(H,\overline{V}) & \longrightarrow & H_0(\overline{V}) & \longrightarrow & H_0(H) & \longrightarrow & H_0(H,\overline{V}) & \longrightarrow & 0 \\
 & & \uparrow & & \uparrow\cong & & \uparrow & & \uparrow\cong & & \uparrow & & \\
H_1(\partial\overline{U}) & \longrightarrow & H_1(\overline{U}) & \longrightarrow & H_1(U,\partial\overline{U}) & \longrightarrow & H_0(\partial\overline{U}) & \longrightarrow & H_0(\overline{U}) & \longrightarrow & H_0(\overline{U},\partial\overline{U}) & \longrightarrow & 0 \\
 & & & & \| & & \| & & \| & & \| & & \\
 & & & & Z & & Z \oplus Z & & Z & & 0 & &
\end{array}$$

One concludes from this that

$H_1(H,\overline{V}) = Z$ and $H_0(\overline{V}) = Z \oplus Z$. $\overline{V}$ has two components and so has $H \backslash M$ which homotopy retracts onto $\overline{V}$.

Bibliography

[1] J. Eells and D. Elworthy, Open imbedding for Banach manifolds (to appear) (preprint).

[2] D. Burghela and N. Kuiper, Hilbert manifolds, Annals of Math., Vol. 90 (1969), pp. 379-417.

[3] S. Lang, Introduction to differentiable manifolds, Interscience (1962).

[4] N. Moulis, Sur les variétés hilbertiennes et les fonctions non dégénérées, Indag. Math., Vol. 30, p. 497-511.

FACULTÉ DES SCIENCES - UNIVERSITÉ DE MONTRÉAL

PUBLICATIONS DU SÉMINAIRE DE MATHÉMATIQUES SUPÉRIEURES

---

1. LIONS, Jacques L., Problèmes aux limites dans les équations aux dérivées partielles, (1re session, été 1962), Les Presses de l'Université de Montréal, 2e éd. 1965, 176 p.

2. WAELBROECK, Lucien, Théorie des algèbres de Banach et des algèbres localement convexes, (1re session, été 1962), Les Presses de l'Université de Montréal, 2e éd. 1965, 148 p.

3. MARANDA, Jean-Marie, Introduction à l'algèbre homologique, (1re session, été 1962), Les Presses de l'Université de Montréal, 2e éd. 1966, 52 p.

4. KAHANE, Jean-Pierre, Séries de Fourier aléatoires, (2e session, été 1963), Les Presses de l'Université de Montréal, 2e éd. 1966, 188 p.

5. PISOT, Charles, Quelques aspects de la théorie des entiers algébriques, (2e session, été 1963), Les Presses de l'Université de Montréal, 2e éd. 1966, 188 p.

6. DAIGNEAULT, Aubert, Théorie des modèles en logique mathématique, (2e session, été 1963), Les Presses de l'Université de Montréal, 2e éd. 1967, 138 p.

7. JOFFE, Anatole, Promenades aléatoires et mouvement brownien, (2e session, été 1963), Les Presses de l'Université de Montréal, 2e éd. 1965, viii et 144 p.

8. DIEUDONNÉ, Jean, Fondements de la géométrie algébrique moderne, (3e session, été 1964), Les Presses de l'Université de Montréal, 2e éd. 1968, x et 154 p.

9. RIBENBOIM, Paulo, Théorie des valuations, (3e session, été 1964), Les Presses de l'Université de Montréal, 2e éd. 1968, 317 p.

10. HILTON, Peter, Catégories non abéliennes, (3 session, été 1964), Les Presses de l'Université de Montréal, 2e éd. 1967, 151 p.

11. ECKMANN, Beno, Homotopie et cohomologie, (3e session, été 1964), Les Presses de l'Université de Montréal, 1965, 134 p.

12. FOX, Geoffrey, Intégration dans les groupes topologiques, (3e session, été 1964), Les Presses de l'Université de Montréal, 1966, 360 p.

13. AGMON, Shmuel, Unicité et convexité dans les problèmes différentiels, (4e session, été 1965), Les Presses de l'Université de Montréal, 1966, 158 p.

14. BRELOT, Marcel, Asiomatique des fonctions harmoniques, (4e session, été 1965), Les Presses de l'Université de Montréal, 2e éd. 1969, 148 p.

15. BROWDER, Felix E., Problèmes non linéaires, (4e session, été 1965), Les Presses de l'Université de Montréal, 1966, 156 p., $3.00.

16. STAMPACCHIA, Guido, Equations elliptiques du second ordre à coefficients discontinus, (4e session, été 1965), Les Presses de l'Université de Montréal, 1966, 330 p.

17. BARROS-NETO, José, Problèmes aux limites non homogènes, (4e session, été 1965), Les Presses de l'Université de Montréal, 1966, 87 p.

18. ZAIDMAN, Samuel, Equations différentielles abstraites, (4e session, été 1965), Les Presses de l'Université de Montréal, 1966, 81 p.

19. SÉMINAIRE DE MATHÉMATIQUES SUPÉRIEURES, Equations aux dérivées partielles, textes de : Robert CARROLL, George DUFF, Jöran FRIGERG, Jules GOBERT, Pierre GRISVARD, Jindřich NEČAS et Robert SEELEY, (4e session, été 1965), Les Presses de l'Université de Montréal, 1966, 144 p.

20. FRAÏSSÉ, Roland, L'algèbre logique et ses rapports avec la théorie des relations, (5e session, été 1966), Les Presses de l'Université de Montréal, 1967, 81 p.

21. HENKIN, Leon, Logical Systems Containing Only a Finite Number of Symbols, (5e session, été 1966), Les Presses de l'Université de Montréal, 1967, 50 p.

22. Non disponible.

23. Non disponible.

24. LEBLANC, Léon, Représentabilité et définissabilité dans les algèbres transformationnelles et dans les algèbres polyadiques, (5e session, été 1966), Les Presses de l'Université de Montréal, 1966, 126 p.

25. MOSTOWSKI, Andrzej, Modèles transitifs de la théorie des ensembles de Zermelo-Fraenkel, (5e session, été 1966), Les Presses de l'Université de Montréal, 1967, 174 p.

26. FUCHS, Wolfgang H. J., Théorie de l'approximation des fonctions d'une variable complexe, (6e session, été 1967), Les Presses de l'Université de Montréal, 1968, 138 p.

27. HAYMAN, Walter K., Les fonctions multivalentes, (6e session, été 1967), Les Presses de l'Université de Montréal, 1968, 56 p.

28. LELONG, Pierre, Fonctionnelles analytiques et fonctions entières (n variables), (6e session, été 1967), Les Presses de l'Université de Montréal, 1968, 304 p.

29. RAHMAN, Qazi Ibadur, Applications of Functional Analysis to Extremal Problems for Polynomials, (6e session, été 1967), Les Presses de l'Université de Montréal, 1968, 69 p.

30. ROSSI, Hugo, Topics in Complex Manifolds, (6e session, été 1967), Les Presses de l'Université de Montréal, 1968, 85 p.

31. HUBER, Peter J., Théorie de l'inférence statistique robuste, (7e session, été 1968), Les Presses de l'Université de Montréal, 1969, 148 p.

32. KAC, Mark, Aspects probabilistes de la théorie du potentiel, (7e session, été 1968), Les Presses de l'Université de Montréal, 1970, 154 p.

33. LECAM, Lucien M., Théorie asymptotique de la décision statistique, (7e session, été 1968), Les Presses de l'Université de Montréal, 1969, 146 p., $2.75.

34. NEVEU, Jacques, Processus aléatoires gaussiens, (7e session, été 1968), Les Presses de l'Université de Montréal, 1968, 230 p.

35. VAN EEDEN, Constance, Nonparametric Estimation, (7e session, été 1968), Les Presses de l'Université de Montréal, 1968, 48 p.

36. KAROUBI, Max, K-théorie, (8e session, été 1969), Les Presses de l'Université de Montréal, 1971, 182 p.

37. KOHN, Joseph J., Differential Complexes, (8e session, été 1969), Les Presses de l'Université de Montréal, 1972, 90 p.

38. KUIPER, Nicolas H., Variétés hilbertiennes : aspects géométriques, (8e session, été 1969), Les Presses de l'Université de Montréal, 1971, 154 p.

39. KURANISHI, Masatake, Deformations of Compact Complex Manifolds, (8e session, été 1969), Les Presses de l'Université de Montréal, 1971, 100 p.

40. NARASIMHAN, Raghavan, Grauert's Theorem on Direct Images of Coherent Sheaves, (8e session, été 1969), Les Presses de l'Université de Montréal, 1971 79 p.

41. SPENCER, Donald D., Systèmes d'équations différentielles partielles linéaires et déformations des structures de pseudo-groupes, (8e session, été 1969), Les Presses de l'Unversité de Montréal, à paraître.

42. SÉMINAIRE DE MATHÉMATIQUES SUPÉRIEURES, Analyse globale, textes de : P. LIBERMANN, K. D. ELWORTHY, N. MOULIS, K. K. MUKHERJEA, N. PRAKASH, G. LUSZTIG, et W. SHIH, (8e session été 1969), Les Presses de l'Université de Montréal, 1971, 216 p.

43. ABHYANKAR, Shreeram S., Algebraic Space Curves, (9e session, été 1970), Les Presses de l'Université de Montréal, 1971, 116 p.

44. ARTIN, Michael, Théorèmes de représentabilité pour les espaces algébriques, (9e session, été 1970), Les Presses de l'Université de Montréal, 1973, 284 p.

45. GROTHENDIECK, Alexandre, Groupes de Barsotti-Tate et cristaux de Dieudonné, (9e session, été 1970), Les Presses de l'Université de Montréal, à paraître.

46. NAGATA, Masayoshi, On Flat Extensions of a Ring, (9e session, été 1970), Les Presses de l'Université de Montréal, 1971, 53 p.

47. MIYANISHI, Masayoshi, Introduction à la théorie des sites et son application à la construction des préschémas quotients, (9e session, été 1970), Les Presses de l'Université de Montréal, 1971, 100 p.

48. TAKAHASHI, Shuichi, Méthodes logiques dans la géométrie diophantienne, (9e session, été 1970), Les Presses de l'Université de Montréal, à paraître.

49. ROTA, Gian-Carlo, La Géométrie combinatoire, (10e session, été 1971), Les Presses de l'Université de Montréal, à paraître.

50. SCHUTZENBERGER, Marcel, et al., Problèmes de tri et tableaux de Young, (10e session, été 1971), Les Presses de l'Université de Montréal, à paraître.

51. BERGE, Claude, Introduction à la théorie des hypergraphes, (10e session, été 1971), Les Presses de l'Université de Montréal, 1973, 116 p.

52. DE BRUIJN, Nicolaas G., Automath, a Language for Mathematics, (10e session, été 1971), Les Presses de l'Université de Montréal, 1973, 63 p.

53. SABIDUSSI, Gert, Automorphismes des graphes, (10e session, été 1971), Les Presses de l'Université de Montréal, à paraître.

54. FOATA, Dominique, Principes généraux d'énumération, (10e session, été 1971), Les Presses de l'Université de Montréal, à paraître.

mai 1973

2e tirage
Achevé d'imprimer à Montréal
le 25 mai 1973
sur papier Rockland Bond de Rolland

8480-77-11
5-16